JN301010

本書を使い翻訳を学習する方へ

本書は翻訳に興味を持ち，専業のプロとして，あるいは職場での仕事の一環として翻訳に取り組もうとする方々を対象に執筆しました。翻訳に熟達するには長い年月がかかります。しかし誰もが陥りやすく，しかも職業的な翻訳者として許されないミスや弱点に焦点を絞れば，より効率的に学ぶことができるはずです。著者たちはいずれも翻訳業務を職業とし，かつ大学等で翻訳について教えた経験をもっています。そうした現場での経験に基づいて，著者たちは仕事としての翻訳を成功させるには何が必要かを考え，本書の内容を構想しました。

本書は以下のとおり，「入門編」「基礎編」「実践編」の3部構成となっています。

1．入門編

最初に現代における翻訳の位置づけを踏まえたうえで，職業としての翻訳の市場，仕事の実際，求められるスキルなどを英日・日英別に紹介。さらに翻訳に役立つツールとして，今や翻訳者の必須アイテムとなったインターネットやグーグル検索の使いこなし方を紹介します。

2．基礎編

ここでの目標は基礎力の養成です。具体的にいうと，英日編は①英文読解力の強化と②訳出スキルの習得，日英編は①基礎文法力の強化と②訳出スキルの習得を目標とします。この目標のもとに，英日編では単語の訳し方から始まり，イディオムやフレーズ表現，より広いテクスト的な要素，背景知識へと，単位をボトムからトップへと徐々に広げて解説します。日英編では冠詞，数，前置詞など日本人が不得意とする基本文法の克服の仕方から，日本語に特有な文構造や文化に根差した表現の訳し方，記号やルールの違いまで幅広く解説します。英日・日英とも，それぞれの章末に付された練習問題で，学んだポイントを確認していく仕組みです。

3．実践編

2で学んだ基礎力を生かし，ここではいよいよ実践的な素材の翻訳に取り

組みます。英日編では社会・経済・文化・科学などのさまざまなトピックを取りあげ，新聞・雑誌・ネットニュースなどを訳します。日英編ではビジネスEメール，招待状，掲示・案内，マニュアル・商品説明，パワーポイント資料，論文アブストラクト，論説など，現場の仕事に役立つ訳出練習を行います。いずれの場合も，①まず「例題」を訳し，かつ訳出のポイントと著者による試訳を参考にして自分の訳を振り返る，②「練習問題」を自力で訳し，「解答」を見ながらミスや弱点を反省する──という手順で進めてください。

ここで強調しておきたいことは，翻訳に正解はない，ということです。著者による「試訳」はあくまで参考に過ぎません。翻訳は翻訳が行われる時代，状況，ジャンルなどによってまったく訳し方が違ってくる，ダイナミックなプロセスなのです。また，プロの技術を磨くためには「訳しっぱなし」にしない工夫がきわめて大切です。独学の場合は「誤訳ノート」をつくり，ミスや表現力不足の原因を自己分析してください。仲間や指導者がいるなら，反省会を開くなどしてお互いの翻訳を批評し合いましょう。ミスは恥ではありません。恥をかけばかくほど，上達するということを忘れないでください。

なお，本書を執筆するにあたっては，河原清志氏，デイビッド・パーマー氏のご助言を頂きました。著者らに最後まで辛抱強くおつき合いいただいた三修社の菊池暁氏にも感謝します。また，文献を引用させていただいた多くの研究者や組織に対しては，巻末に出典を掲載するとともに，ここに心より謝意を表します。

2008年9月

著　者

もくじ

入門編　翻訳をはじめる前に ……………………… 9

- I 翻訳の世界へようこそ──翻訳者の役割は広がっている ……… 10
- II 英語から日本語への翻訳（英日翻訳）……………………… 11
  - 英日翻訳のジャンルと仕事　　英日翻訳のプロセス
  - 英日翻訳の学習法
- III 日本語から英語への翻訳（日英翻訳）……………………… 15
  - 日英翻訳のジャンルと仕事　　日英翻訳のプロセス
  - 日英翻訳の学習法
- IV 翻訳に役立つツールと方法 ………………………………… 18
  - 専門用語のグロサリーをつくる　　グーグルを活用する
  - その他のインターネット・リソース

基礎編　翻訳のコツをマスターしよう ……………… 26

英日翻訳

- I 単語のニュアンスをつかんで訳す …………………………… 28
  - 辞書の訳語を丸写ししない　　意味のコアをつかむ
  - 用例から意味を推測する　　言葉のニュアンスに気づく
  - つかんだニュアンスを日本語でどう表現するか
- II 品詞の転換 …………………………………………………… 33
  - 名詞を読みほどく　　数量を表す形容詞
  - 無生物主語の処理テクニック　　受動態
- III イディオムとフレーズ表現 …………………………………… 37
  - 日本語のフレーズを意識した訳

IV	長文の攻略 (1) ── 分詞構文，関係詞構文 ･････････････････････ 42
	分詞構文　　　　　　　　　関係詞構文

V	長文の攻略 (2) ── 同格構文，挿入構文，複々文 ･････････････ 46
	同格構文　　　　　　　　　挿入構文
	直接話法の伝達部　　　　　複々文

VI	順送りの訳，逆送りの訳 ･･･････････････････････････････････ 51
	順送りの訳と逆送りの訳の使い分け　　順送りで訳すコツ

VII	theを使った言い換え ･･･････････････････････････････････････ 57
	前に登場していないものをtheで言い換える場合
	日本語の文章の結束性

VIII	英日のレトリック ･･･ 61
	言葉遊びとメタファー　　　日本語文の文末表現

IX	トップダウンで読む ･･･ 63

X	英文のライティング・スタイル ･････････････････････････････ 64
	パラグラフ・ライティング　　対比のパターン

XI	日本語と英語のパンクチュエーション ･･･････････････････････ 69
	読解にかかわる英文のパンクチュエーション
	日本語のパンクチュエーション

日英翻訳

I	名詞の可算・不可算を理解する ･･･････････････････････････････ 74
	可算・不可算の基本概念　　　可算か不可算かで迷うとき
	チェックすべき不可算名詞

II	定冠詞・不定冠詞を使い分ける ･････････････････････････････ 78
	定冠詞theの基本概念
	新情報の名詞にtheは必要ない
	抽象名詞とthe　　　　　より具象化されたsocietyには不定冠詞が必要
	関係詞節と冠詞　　　　some countriesとsome of the countriesは違う
	固有名詞とthe　　　　　その他覚えておくと便利な冠詞の使い方

III	前置詞をマスターする ·· 86

漠然と場を表す at 　　「名詞 + of + 名詞」「形容詞 + of + 名詞」
「名詞 + to + 名詞（句）」 　　by と through の使い分け
余計な前置詞を入れない

IV	長い修飾語の処理 ·· 90

原文を意味単位で分解，組み立て直す
非制限用法の関係詞を使う方法　　ハイフンの使用

V	切れ目のない文の処理 ·· 95

「〜が」「〜けれども」でつながる文章に注意
カンマを使って文を挿入する
文を途中で切り，意味がわかりやすいようアレンジする

VI	日本語に多い接続詞，副詞 ··· 100

文と文をつなぐ「また」　　段落を切り替える「さて」「なお」

VII	トピック型日本語から主語型英語へ ································· 103

VIII	英語らしい翻訳へ──無生物主語構文 ····························· 105

学術的な文章で無生物主語を使う場合
学術的な文章以外で無生物主語を使う場合

IX	日英翻訳で陥りやすい罠 ·· 109

日本語の「思う」はいつも think ではない
「〜たら」はいつも if ではない　　because や since を使いすぎない
日英言語間の微妙なニュアンスの違いに注意

X	形式や文化的表現 ·· 112

見出し・タイトルの訳し方　　儀礼的な表現

XI	日本語と英語で違う記号とルール ··································· 115

「〜」は英語では使わない　　著者名はイタリックで
原因・結果を表すのに「→」は使わない
クォーテーションマークの使い分け
文章では省略記号をなるべく用いない
その他の注意事項

実践編　基礎編で学んだテクニックを応用してみよう

.... 120

英日翻訳

I	新聞記事――社会	medium	122
II	新聞記事――社会	easy	125
III	新聞記事――政治	medium	127
IV	アニュアルレポート――経済	medium	129
V	雑誌記事――社会	difficult	133
VI	新聞記事――政治	easy	135
VII	雑誌記事――政治	difficult	139
VIII	ウェブサイト――科学	difficult	142
IX	新聞記事――文化	easy	145
X	新聞記事――経済	easy	149
XI	電子ジャーナル――科学	medium	153
XII	電子ジャーナル――文化	medium	157
XIII	新聞記事――科学	easy	161
XIV	国際機関の文書――行政	easy	166
XV	専門誌――科学	difficult	168
XVI	書籍――文化	difficult	171

日英翻訳

I	ビジネスEメール	176
II	招待状	185
III	掲示，案内	192
IV	マニュアル，商品説明	196
V	パワーポイント資料	201
VI	論文アブストラクト	205
VII	論説	211

別冊　練習問題の解答

入門編
翻訳をはじめる前に

Ⅰ　翻訳の世界へようこそ
　　　——翻訳者の役割は広がっている

Ⅱ　英語から日本語への翻訳（英日翻訳）

Ⅲ　日本語から英語への翻訳（日英翻訳）

Ⅳ　翻訳に役立つツールと方法

I 翻訳の世界へようこそ──翻訳者の役割は広がっている

「翻訳者は黒子である」と言われます。翻訳とはわからないほど自然な訳で，翻訳者の存在が見えない，という意味です。このように「こなれた訳」，つまり目標言語（英日翻訳なら日本語，日英翻訳なら英語）の習慣に寄り添った訳が「よい訳」とされてきました。しかし今，翻訳者が「目に見える」存在となって，責任をもって訳文をつくることの大切さが指摘されています。

日本をはじめ，多くの国で，意訳（原文の単語や文法よりも，内容を伝えることを優先する翻訳）こそがよい翻訳である，という考え方が圧倒的に主流を占めています。その一方で，辞書にない訳語を使ったり，原文の順序を入れ替えたりしても許されるのか，と迷う人も少なくないはずです。これは正当な疑問といってよいでしょう。それではいったい，何を基準に訳したらよいのでしょうか。

翻訳の歴史は古く，直訳対意訳，忠実訳対意訳という2項対立が古代ギリシアの昔から存在してきました。現代でも，翻訳者が原文を解釈して意訳するのは，原文の著者や，その原文を生み出した文化に対する権利侵害になりうると考える人たちがいる一方，翻訳は必ず何らかの目的のもとに行われるのだから，その目的を達成できるかどうかを翻訳の判断基準にすべきだと考える人もいます。この考え方によれば，字幕や宣伝コピーのような翻訳も，一定の基準のもとに評価できることになります。

整理して考えてみましょう。以下の図は，上から下に行くほど時代が新しくなっています。昔は翻訳というものの概念が狭く，直訳・意訳の二者択一し

```
         直訳    意訳


原文の文化を尊重          訳文の目的を優先
   原文重視              訳文重視
```

Basil Hatim, *Teaching and Researching Translation* に基づいて作成

かありませんでした。しかし時代が下ると翻訳の概念が広くなり，原文を尊重する考え方（原文重視）と，翻訳の目的を重視する考え方（訳文重視）の両方を包み込む広い概念になったのです。

先にも述べたように翻訳産業の主流は「意訳」ですが，翻訳の目的によっては忠実な訳が必要になる場合もあります。自分が今している翻訳は，こうした多様な翻訳のスペクトラムのどのあたりに位置するのかを見きわめること，そして場合によっては「黒子」となって目標言語に寄り添い，必要なら，あえて直訳を使ったり，逆に思いきった解釈で大胆に意訳したり——こうした行き方が，新しい翻訳者の責務となってくるでしょう。

翻訳者の役割は「黒子」のように一言で表現できるものではなく，もっと奥行きの深い，起伏に富んだものへと広がっています。あなたが将来，プロの翻訳者になろうと，別の仕事の一環として翻訳をすることになろうと，言葉の選択一つで社会を動かしているという誇りと喜びをもって翻訳に臨んでください。

II 英語から日本語への翻訳（英日翻訳）

● 英日翻訳のジャンルと仕事

次頁の図を見てもわかるように，日本における翻訳の需要は，コンピュータなどのIT，科学工業，特許，医薬などの専門性の高い翻訳（実務翻訳という）がほぼ90％を占めています。山岡洋一『翻訳とは何か』によれば，翻訳市場は大きいように見えて実はニッチ（隙間産業）の集合であり，「翻訳者同士がいつも真っ向から競争しているわけではない」といいます。つまり小さなニッチの内側では，専門性が高い翻訳者の生活はある程度保証されている，けれどその人数はそう多くないということです。

このように，専門性を高めることが，翻訳者としての自立に向けた賢実な方法であることは間違いないようです。本書でも科学関連などの専門分野の課題文をとりあげましたが，あくまで一般向けの記事であり，プロの実務翻訳

へのほんの入り口に過ぎません。もしあなたがすでに本書の課題をおおむねこなせるレベルであり、プロを目指したいとすれば、以下で述べるような専門性を高めるための勉強が必要でしょう。

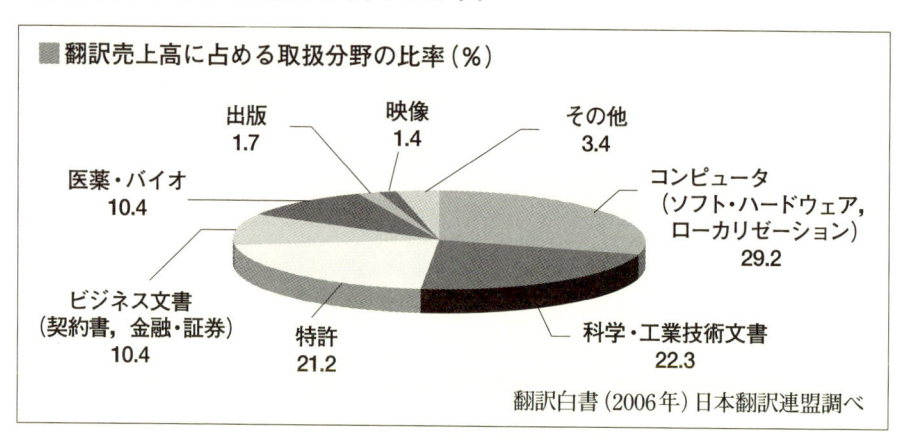

■ 翻訳売上高に占める取扱分野の比率（%）

- 出版 1.7
- 映像 1.4
- その他 3.4
- コンピュータ（ソフト・ハードウェア, ローカリゼーション）29.2
- 医薬・バイオ 10.4
- ビジネス文書（契約書, 金融・証券）10.4
- 特許 21.2
- 科学・工業技術文書 22.3

翻訳白書（2006年）日本翻訳連盟調べ

● 英日翻訳のプロセス

高度の英文読解力（誤訳がないこと），翻訳スキル，そして調査力は仕事で翻訳をするうえの必須要素であり，その習得が本書の目的でもあります。こうした基礎的スキルに加え，プロの翻訳者となれば「翻訳をとりまくコミュニケーションの状況」，例えば ①原文はだれが，だれに対して，どのような目的で書いているか，②あなたはどのような目的のために，どのような読者を対象にして（あるいは想定して）訳すのか，③翻訳者と原著者のほかに，どのようなプレーヤーが関与しているか（編集者やクライアントなど）——といったことをそのつど明確に意識する必要があります。例えば英字新聞の記事と，科学専門誌の記事とでは，当然，翻訳の目的や読者層（audience）が異なり，訳し方も変わってきます。

翻訳は通訳と違って時間をかけて推敲することが可能です。また文字として残るため，いつ，誰に読まれるかわかりません。したがって，省略したり，サマライズしたりすることはありません。すみずみまできちんと訳されているはず，というのが読者の認識です。訳が抜けていたり，思い違いで誤訳をしたりということがないよう，翻訳を仕上げたあと，以下のような点検を行いましょう。

① 固有名詞はきちんと調べたか。
② 統一すべき語（専門用語やキーワード）を統一しているか。
③ 話の筋がとおっているか（論旨に矛盾がないか）。
④ 誤訳や訳抜けはないか。

以上のうち，①～③は訳文を読み直すだけでもチェックできます。しかし④は訳文と原文をいちいち対照しなければなりません。面倒くさいと思うかもしれませんが，特にクライアントとの間にまだ信頼関係ができていない場合，訳抜けや誤訳があると二度と仕事をもらえない危険性があります。初めての相手であればあるほど，点検をきちんと行いましょう。ある程度ベテランになり，どうしても時間がない場合，やむをえずセンテンスの数や段落の数をチェックするだけの場合もありますが，手を抜かない地道な努力が，結局は翻訳者としての信頼を勝ちとる早道です。さらに，翻訳の過程で気付いた点を注やコメントとして記入しておくと信頼が高まるでしょう。

ターゲットとなる読者を満足させるには，その分野の背景知識も欠かせません。Ⅳ章で紹介するオンライン・リソースなどを活用するとともに，たえざる勉強が必要です。また原文のトピックに関する資料をクライアント，あるいは原文の著者や出版社に請求しなければならない場合もあります。面倒がらずにそうしたコミュニケーションをはかることが，最終的には良い翻訳につながり，翻訳者としての信頼を高めることにつながります。

職業であるからには，翻訳料の交渉も大切な仕事の一部です。最初のうちは，原文を見ただけでどのくらいの手間がかかるかを見抜くことは難しいと思います。サンプルをもらい，実際に訳してみて，どのくらい時間がかかるかを計算しましょう。自分の実力を正しく判断し，未熟であれば多少料金が低くても我慢しましょう。しかし努力の結果，クライアントの満足のいく仕事ができるようになったら，料金の引き上げを交渉してもよい時期です。引き上げが不可能な場合は，納得のいく料金を提供してくれる他のクライアントを探すことも考えましょう。

● 英日翻訳の学習法

① 日本語力を磨く
本書の目的は，その人の資質にかかわらず，正確かつ読みやすい訳をつくる

コツを学ぶことであり，多分に素質がものを言う日本語力の改善まではカバーしていません。それでもふだんから本や雑誌をよく読むなど，努力できることはあります。また自分の専門にかぎらず，他の翻訳者の用語を研究することが，その分野に通用する日本語力をつける早道でしょう。

② **専門性を高める**

実務翻訳で，やりたいと思う専門領域がはっきりしている場合は，翻訳学校や通信教育でその分野の翻訳テクニックを勉強したうえで，翻訳エージェントなどをとおして仕事を探します。翻訳学校の中には，翻訳エージェントを兼ねているところもあります。翻訳エージェントではたえず翻訳者を選抜するためのトライアルを実施しています。トライアルに合格しても，いきなり仕事が殺到するわけではありませんが，翻訳の出来がよければ必ず仕事は増えていくでしょう。

もともと理科系や法律の勉強をしていた，あるいは医薬系の企業に勤めていたなど，その領域の背景知識があれば有利ですし，人脈があるので仕事を探すのも容易です。もちろん，そうした経歴のない人でも，意識的に努力することで専門知識を深めることは可能です。翻訳者としてのレベルが高まれば高まるほど，単なる「耳学問」ではない，深い勉強が必要となっていくでしょう。

③ **出版翻訳**

P12の図のとおり，字幕翻訳や出版翻訳の市場はきわめて小さく，プロになれるのはほんの一部であり，なれるとしても長い下積みが必要です。しかし根気よく続ければ参入は不可能ではありません。強いて言えば，文芸よりノンフィクション分野に需要が多く，参入はより容易でしょう。

一方で，日本で特徴的なのは，字幕翻訳者やベストセラーの翻訳者にあこがれ，翻訳を学習する人が多いことです。大手の翻訳学校1校だけの売り上げが，出版翻訳市場全体の売り上げを上回るとさえいわれます（『翻訳とは何か』P214）。たとえプロにならないまでも，異文化のテキストを深く読み込み，自分の言葉で言語化する翻訳は，ほとんどの趣味とくらべても，決してひけをとらないすばらしい趣味です。アマチュア演劇を楽しむ人がいるように，アマチュアとして，あるいはボランティアとして翻訳を楽しむ伝統がつづいてほしいと思います。

III 日本語から英語への翻訳（日英翻訳）

●日英翻訳のジャンルと仕事

日本における日英翻訳の需要は，実務翻訳においては英日と同じくらいの量があります。小説・絵本などの出版翻訳では翻訳者はネイティブスピーカーが多くなりますが，実務翻訳では，ネイティブ校正者の力を借りて多くの日本人翻訳者たちが活躍します。

日英実務翻訳のジャンルは広く，IT，科学工業，医薬，特許，ビジネス文書，広告宣伝，学術文書など，あらゆる分野を網羅しています。特に専門性の高い，医薬，特許などの分野では専門の勉強が必要となります。また，専門性が高いほど受け取る報酬が高いのは当然です。一般文書と専門性の高い医薬や特許の翻訳を比較すると，翻訳料が倍ほど違うこともあります。高い報酬を望む場合は，それらのコースを備えた専門学校へ通うか，独学で勉強し，専門の知識，語彙をマスターする必要があります。

●日英翻訳のプロセス

ここでは，翻訳会社が日英翻訳の仕事を受けた場合の典型的な作業プロセスを紹介します。翻訳会社はクライアントから仕事を受けたあと，専門性に応じて，登録している翻訳者に仕事を依頼します。翻訳者は納期内に翻訳を完了し，翻訳会社に原稿を戻します。そのあと，翻訳会社では，次のようなプロセスをとります（以下の図は，翻訳者が日本人であることを前提にしています）。

| 翻 訳 | ⇒ | ネイティブ校正者による校正
テクニカルチェック | ⇒ | 最終チェック
編集 |

翻訳者の原稿は，校正の訓練を受けたネイティブのチェッカーまたはエディターが校正します。その際，ネイティブならだれでもよいのではなく，正式の訓練を受けたテクニカルライターやエディターというタイトルの人がこの

仕事をします。また，翻訳済みの原稿に対して，「プルーフをお願いします」と頼んでくる顧客もいますが，英語のproofreadは，原則的に英語ネイティブの人が書いた文章のスペルチェックや，文法のうっかりミスしか直しません。一般に日本人の訳した英文がそれだけで済むことはなく，rewrite, editという作業が必要です。つまり，文法ミスを直すだけでなく，ネイティブスピーカーには不自然に聞こえる表現や語彙を正しく直します。素人が訳した文章などは，まれに全文章を書き換えることもあります。

また必ずではありませんが，翻訳者がその分野の専門家でない場合は，専門家にチェックを依頼したり，場合によってはクライアントがテクニカルチェックをすることがあります。後者は，語彙リストの事前提出や不確かな用語の確認を含みます。

それらがすべて終わってもまだ翻訳作業はおしまいではありません。第三者のチェッカーと呼ばれる人が，翻訳のミスがないか，和文と英文の間で不整合がないかどうか確認をします。校正済み原稿が翻訳者自身に戻されて，自分でチェックすることもあります。ネイティブのエディターがチェックしたから完璧と思うのは早計です。英文しか受け取らなかったエディターの場合，元の日本語を知らされていないため，間違った修正をするときもたまにあります。最終チェッカーや原稿を戻された翻訳者は，その点がきちんと修正されているかどうか確認することが重要です。

なお，上記の作業も済んだ原稿は，クライアントの望む形に編集します。ワードファイルかテキストファイルかなどの納品上の問題だけでなく，レイアウトも含めて編集をして客先に戻すこともあります。以上，簡単に作業プロセスについて述べました。しかし，ここでご紹介したプロセスはごく平均的なもので，翻訳の専門分野によっても違いますし，翻訳会社の規模によっても違います。プロセスが複雑になればなるほど料金も高くなりますので，会社によっては一部の工程を省き，料金を下げて提供するところもあります。

●日英翻訳の学習法

英日翻訳なら何とかできそうだが，海外滞在経験のない自分に日英翻訳は無理だと考えている人はいませんか？　英日翻訳に比べ日英翻訳を最初から目指す人が比較的少ないのは，日英翻訳なんて日本人には無理というような先

入観が背景にあるからでしょう。確かに文学作品などは，英語圏で育ち，英語のほうが日本語より得意な人でないと上手に翻訳できません。しかし，実務では先ほど述べたように，英日翻訳とほぼ同じ量の日英翻訳が取り扱われています。実務翻訳では，技術的な文書が大半で，ネイティブのセンスをあまり必要としないものも多いので，勉強すれば日本育ちの翻訳者でも十分立派な翻訳をすることができるのです。翻訳のプロセスで述べたネイティブのエディターの力を借りれば，「鬼に金棒」ですから安心してください。

① 文法力の見直し

さて，日英翻訳は日本人でもできるという理由を述べましたが，もちろん，英語が第一言語でないために起こる問題はたくさんあります。まず，日本人が日英翻訳で最初にぶつかる壁は，意外にも文法です。それも，仮定法や分詞構文といった高度な文法事項ではなく，冠詞，前置詞など，基本と考えられている文法のミスが初心者からベテランまでたいへん多いのです。さまざまな理由が考えられますが，この問題を克服することなしには優れた日英翻訳者にはなれません。本書では「基礎編」の最初にそれらの文法項目を扱っています（P74〜90）。例えば，自分が冠詞が不得意と思うならば，冠詞を解説した参考書を読み，練習問題で苦手部分を克服してください。さらに，冠詞や前置詞などを十分理解した上で英字新聞などを読むと，現実にそれらがどういう使い方をされているかがわかります。自分が学んだことを実際の生きた例に見つけることはとても嬉しいことです。ぜひ，試してみてください。

② 語彙を増やし，表現力に磨きをかける

もちろん，問題は文法だけではありません。専門用語をきちんと調べることはもちろん，表現力に磨きをかけることも必要です。できるだけ，質の良い英文に触れ，語彙や表現力をブラッシュアップすることは日英翻訳者の使命です。そのためには，とにかくたくさんの量の英文に触れて，自分が使える語彙や表現を増やします。英字新聞，英語で書かれた雑誌，小説など何でもよいと思います。ただし，ここで注意しなければならないのは，良い表現を見つけたからといってすぐ自分の翻訳に使うのは危険だということです。自分の書く英文の質を見極め，新たに学んだ表現が自分なりに使いこなせているか，他の表現や語彙のレベルと一致しているかなどにも注意しましょう。新聞，雑誌，小説などのほかにも，日英の実務ではビジネス文書や技術的なものが多いですから，それらが英文で書かれたものが手に入ったら，用語集をつくったり（「入門編－専門用語のグロサリーをつくる」P18参照），いざ

というときの参考になるようファイルしておくのも一つの方法です。

さらに，日英翻訳をしていて時々問題になるのは形式や文化的表現の違いです（「基礎編 X章 形式や文化的表現」P112参照）。これらは，翻訳や英文校正を依頼するクライアントの日本人と，翻訳を実際に読む外国人の読者との間に挟まって，翻訳者が一番悩む点と言えるでしょう。どうしても日本的な表現方法で翻訳または校正をしてくれと頼むクライアントに従った場合，読者の外国人がまったく理解できないことがあります。その点は，翻訳者のみなさんが上手にクライアントに説明し，納得してもらいましょう。

③ 英文を書く機会を増やす

自分がネイティブ話者である和文でも，長く書いていないと億劫になったり，上手に書けないものです。翻訳者になりたいのであれば，常に自分の表現力を磨いて，いつでも同じようにセンスのある文章を書けなくてはいけません。英文の日記をつける，ブログを書く，英語でメール交換をするなども日常的にやれば効果があります。また好きな小説を勝手に訳してみるなども良い練習になるでしょう。いずれの場合も理想的なのは，自分が書いたものを経験のあるネイティブのチェッカーやエディターに見てもらい，修正を見てさらに勉強することです。プロの翻訳者もそれを積み重ねて段々とネイティブに近い英文ライティング力を身につけていきます。経験のあるネイティブが見つからない場合は，周りにいる信頼できるネイティブの友人でも良いと思います。どうぞ直されることを恐れず，将来必ず自分の財産になると信じて実行してみてください。

IV 翻訳に役立つツールと方法

● 専門用語のグロサリーをつくる

用語集（グロサリー glossary）が特に活躍するのは，科学技術，医薬，法律などの専門分野です。専門用語には定訳（その分野で広く使われている訳語）があり，単語の訳が一対一対応になっています。実務翻訳では，そうした定訳を集めたグロサリーを作成・蓄積することで，翻訳を正確かつスピーディに

進めることができます。実務翻訳や分厚い本の翻訳などでは，大量の文書を分担してグループ訳するケースもあり，チーム共通の用語集は不可欠です。自分がコーディネーターになって，チームにグロサリーを配布するようなケースもありえます。初心者のうちからグロサリーをつくる練習をしておきましょう。

① 専門用語をどう調べるか

専門用語に正しい訳語があてられているかどうかで，翻訳者への信頼感は大きく左右されます。専門用語に敏感になることは，社会に通用する翻訳者となるための大きな一歩です。通常の辞書でも専門用語はかなりカバーされています。簡単にあきらめないで，よく調べてください。本格的に調べるなら，その分野に特化した大型の辞書を使います。また最近では，さまざまな分野に特化したオンライン辞書も整っています（オンライン・リソースの活用についてはP21以下を参照）。

② 専門用語を見抜く

専門用語のなかには，一見ふつうの単語と見分けのつかないものがあります。例えばotorhinolaryngology（耳鼻咽喉科）のような単語は，明らかに専門用語とわかります。しかし経営や社会学の分野では，一見ふつうの単語が専門用語として使われていることが少なくありません。例えばneglectは辞書で「放置，怠慢」と記されていますが，児童福祉の分野では「育児放棄」や「ネグレクト」という訳語が広く使われています。また，一見ありふれた単語が複数合わさって専門用語になっている場合もあるので注意しましょう（専門分野のフレーズ表現に関してはP38参照）。

一見してそれとわからない専門用語を見抜くには，前後の文脈から，少しでもあやしいと思ったら辞書を調べること。それでもわからなかったらオンライン・リソース（後述）を使って確認しましょう。

③ 用語集glossaryの作り方

一般的に，用語集は左側のコラムに原語（英日翻訳なら英語），右側のコラムに日本語の訳を記入します。そのほか，品詞や関連情報などのメモを記入したり，「医学」「薬学」などの分野を記入してもよいでしょう。用語集をスプレッドシート（表計算ソフト）でつくっておけば，あとからアルファベット順や分野別に並べ替えたりでき，将来にわたって使える大切な財産になります。

グロサリーのサンプル（メタボリック・シンドロームに関するもの）

単語	品詞	意味	備考
metabolic syndrome	n	メタボリック症候群，内臓脂肪症候群，代謝症候群	
abdominal obesity	n	腹部肥満	
blood lipid disorders	n	血清脂質異常	
inflammation	n	炎症	
insulin resistance	n	インスリン抵抗性	
diabetes	n	糖尿病	
cardiovascular disease	n	心疾患，循環器疾患	
criteria	n	診断基準	criterionの複数形
identify	v	特定する，同定する	
preventive medicine	n	予防医学	
value	n	値，ここでは診断基準値	
dysfunctional adipose tissue	n	脂肪組織の機能異常，機能障害	
clinical diagnosis	n	臨床診断	
risk assessment	n	リスク評価，リスク・アセスメント	
quantify	v	数値化する，定量化する	
type 2 diabetes	n	2型糖尿病	インスリンは作れるがブドウ糖が効率よく細胞に取り入れられないタイプの糖尿病
IDF	n	International Diabetes Federation 国際糖尿病連合	
circulating level	n	血中濃度	
high density lipoprotein (HDL) cholesterol	n	高比重リポタンパクコレステロール，HDLコレステロール	
triacylglycerol	n	トリアシルグリセロール	
fasting glycaemia	n	空腹時血糖	

●グーグルを活用する

かつて翻訳者は，辞書と首っぴきで翻訳を行っていました。図書館は絶好のデータ収集場所であり，それでもわからない場合は，ネイティブの人を探し意味を聞いて納得するよりほかありませんでした。しかし，最近の翻訳では，グーグルなどの検索ツールというスーパーヒーローが登場したため，本当に便利になりました。翻訳者は，コンピュータの画面に現在翻訳している原稿とグーグルや辞書検索機能を同時に開き，わからない表現があればすぐ調べることができるという時代になりました。グーグルは，次のような便利な機能も備えています（英語の検索にはGoogle.co.jpよりGoogle.comがよい）。

① 完全一致検索
これは主に日英翻訳で役立ちます。例えば，「急な坂で」という表現を英訳する場合，on the sharp hillなのか，on the steep hillなのか迷ったとします。その場合，" " でフレーズ全体を括り（完全一致検索という），グーグルの検索にかけてみます。実は，sharp hillはコロケーション的に不適切なので，検索するとやはり僅かしか出てきません。steep hillは1万件以上のヒットがあります。グーグルは，どうしてあるものは使え，あるものは使えないかまでは教えてくれませんが，その表現がどのくらいの確率で使われているかわかります。

英日翻訳でも，辞書などでどうしても調べのつかないフレーズ表現があった場合，完全一致検索で生きた英文の用例を見つけ，文脈から意味を推測することができます。また日本語で最も自然な言い回しを探すのにも，この方法は便利です。例えばillegal dumpという言葉の訳として「不法投棄物」「不法廃棄物」「違法投棄物」「違法廃棄物」のどれが最も一般的な用語かを調べます。それぞれの用語を" "でくくって検索し，ヒット件数を比較します。

② ワイルドカード検索
完全一致検索とは違い，今度はわからない部分に＊を入れて検索します。例えば，「プロジェクトを進める」というときに，proceedのあとに前置詞が入るかどうか，迷ったとします。そこで，"proceed * the project"としてグーグルで検索してみます。すると，実にたくさんのproceed with the projectという例文が現れます。前置詞をとって同じように検索すると，ほとんど出てきません。proceedという動詞は自動詞なので当然前置詞をともないます

が，実際に文脈のあるグーグルの例文で確認すると，さらに安心できるというわけです。

③ イメージ検索
アメリカの作家サリンジャーの代表作 "The Catcher in the Rye" の一節に big screened-in porch という表現が出てきます。主人公のホールデンが女友達の家に遊びに行く場面ですが，この screened-in porch とは何なのか，辞書ではまず見つかりません。そこでグーグルの検索ウインドウにこの表現を打ち込み，左上の「画像」（英語版のgoogleではimage）をクリックします。たくさんの写真が表示され，screened-in porch が住宅に付属した屋根つきのポーチであることがわかります。このように，日本語の定訳が見つからない場合でも，どのような外観のものかを知ることで，パラフレーズなどの訳出テクニックを使うことができます。ちなみにこの部分を野崎孝訳は「日よけで囲った大きなヴェランダ」，村上春樹訳は「まわりを網戸で囲った大きなポーチ」と訳しています。

④ define検索
辞書などに出ていない言葉の意味を探すのに使います。わからない単語の頭にdefine:とつけて検索します。例えばgated community という言葉の意味を調べるには，define: gated community と入力すると，さまざまな定義と，その定義が載っているサイトのＵＲＬが表示されます。ちなみにgated community として挙げられた定義の一つは，A walled or fenced housing development which has a secure entrance of a remote control gate, security guard or other secure measure at the entrance. とあります。同じことは日本語でも行えます。「とは：」という言葉をつけて検索すると，例えば「ゲイテッド・コミュニティ」であれば，その定義の載っているサイトが表示されます。

● その他のインターネット・リソース

グーグルでonline dictionaryと入力すると，Merriam-Websterをはじめ，多くの無料のオンライン辞書を見つけることができます。またアルク社のホームページ上にあるオンライン版の「英辞郎」は，もともと多くの翻訳者からの投稿によってできあがった辞書なので，翻訳には非常に役立つ実用的な辞書です。

◆練習問題◆

1. 英日・日英の実践編の課題文から一つを選び,「原文の著者・原文の目的・原文の読者対象・翻訳の目的・翻訳文の読者対象」の5点を自分なりに想定し,書き出してみましょう。そのうえで,どのような方針で翻訳を行うかを考えてみてください。

2. あなたの好きな本を一冊選び,英日翻訳出版の企画書を書いてみましょう。企画書に書く項目は,
1) 原題とその訳
2) 著者とそのプロフィール
3) 原著の出版社・出版年,ページ数
4) 翻訳仕上がり時の予想字数(英文250wが和文600字に相当するとして計算します。字数やワード数は1行あたりの平均×行数×ページ数で計算します)
5) 内容のサマリー(原書の裏表紙や新聞・ネットの書評を利用しましょう)
6) 翻訳者自身の感想と企画の意図(予想される読者層や売れ行きなど)

以上のような情報を集めたら,レイアウトなども工夫して,出版社が翻訳出版を決意したくなるような,説得力のある企画書を書いてみてください。

3. 英日の実践編のなかから好きな課題文を選ぶか,上記2.で選んだ本について,翻訳にかかった時間を計算して,翻訳料の見積もりをつくってみましょう(本の場合は印税による支払いもあります。印税は「本の値段×印刷部数×印税率」で計算します。印税率は数%から最高で8%くらいです)。

4. 実践編で訳した課題文などを使って,本物そっくりの新聞記事やビジネス文書のサンプルを作成してみましょう。英日翻訳の場合は,まず課題文,ないし自分の好きな文章(本,新聞雑誌記事,絵本などの一部)を選んで翻訳します。訳文をワープロソフトで加工したり,切り貼りしたりして,本物の本のページや記事そっくりのレイアウトに仕立てます。写真なども入れ,実物らしさを出しましょう。日英翻訳の場合は,友達からのEメールを翻訳して自分あてに送ったり,実際の掲示板や招待状を翻訳して作成したり,日本語のレポートを英語に翻訳してパワーポイントで

プレゼンテーションを行ったりしてもよいでしょう。目標は，自分の翻訳が現場ではどのように見えるのかを実感することです。

5. 英日翻訳の実践編の例題や練習問題（Ⅷ，ⅩⅢ，ⅩⅣ章など）から専門用語を抜き出し，グロサリーを作成してください。可能なら，学習者同士でグロサリーを比較し，自分では思いつかない訳を取り入れるなどして，訳語の選択を推敲してみましょう。

6. グーグル検索の練習をしてみましょう。
1）high chance と good chance（完全一致検索でどちらが一般的かを調べましょう）
2）I was impressed * their service.（彼らのサービスのすばらしさに感心した）に入る前置詞は何でしょうか（ワイルドカード検索）
3）grumpy（ディズニーのキャラクターです。イメージ検索してみましょう。ついでに日本語ではどう言うかも検索してみましょう）
4）the long tail とは？（define 検索）

基礎編

翻訳のコツをマスターしよう

基礎編
英日翻訳

- I 単語のニュアンスをつかんで訳す
- II 品詞の転換
- III イディオムとフレーズ表現
- IV 長文の攻略(1)
  ——分詞構文, 関係詞構文
- V 長文の攻略(2)
  ——同格構文, 挿入構文, 複々文
- VI 順送りの訳, 逆送りの訳
- VII theを使った言い換え
- VIII 英日のレトリック
- IX トップダウンで読む
- X 英文のライティング・スタイル
- XI 日本語と英語のパンクチュエーション

I 単語のニュアンスをつかんで訳す

入門編で述べたように，本書英日編の主たる目標は①読解力の強化，②訳出スキルの習得——の2点です。この両者を，単語レベルに始まって，より広いテクスト・レベルへと，徐々に大きな単位へと広げていきます。ここではまず，もっとも小さな単語という単位から訳し方を考えていきましょう。

単語の訳し方には2通りあります。

① 中学や高校でつくる「単語帳」のような「一対一」の訳（辞書を引く訳）
② 辞書に頼らず，単語の意味をニュアンスでつかんで，それにぴったりの日本語を考えるやり方

①については，入門編の「用語集glossary」（P 18）で取り上げた専門用語などが代表的な例です。ここでは単語のもう一つの訳し方——より感覚的にニュアンスをつかんで訳す方法——を練習します。

●辞書の訳語を丸写ししない

まず以下の文を，stageの意味に注意して訳してみてください。

> Thailand's military chiefs staged a bloodless coup to overthrow the government.

stageは通常，「舞台」という印象があるため，「上演する」「舞台に乗せる」といった訳語を選んでしまいがちです。実は「行う」を意味する動詞にdoやcarry outばかり使えないので，バリエーションのためstage, execute, bring about, performなどの動詞が意外によく使われるのです。したがってこのstageは「行う」という意味です（訳例「タイの軍幹部が政府転覆のため無血クーデタを起こした」）。

前後の関係から見て「舞台に乗せる」ではおかしいと思ったら，納得できる訳が見つかるまで根気よく辞書をさがしてください。翻訳をやらないかぎり，

ここまで細かく単語の意味を調べるチャンスはありません。がんばって調べることがボキャブラリーの強化につながります。

● 意味のコアをつかむ

定義が厳密な専門用語と異なり，新聞雑誌，小説などの一般的なテクストに出て来る言葉はあいまいで，辞書だけでは対応できないケースが少なくありません。とくに該当する概念が日本語に存在しないときは，「意味のコアをつかむ」アプローチを使いましょう。例えばinvolveは頻繁に使われる言葉ですが，いざ訳そうとすると簡単ではありません。

(a) This technique involves straightening hair and making it easy to blow dry and shape.
(b) The boy was involved in a fight with another student.

こうした，意味のつかみにくい言葉のイメージをつかむには，英和辞典より英英辞典が向いています。英英辞典では以下のように出ています。

involve: to make something part of something else

「何かの一部にする」というイメージがあることがわかります。ここから，(a)は「このテクニックはストレートパーマを含む」，(b)は「けんかに加わった」と訳すことができます。
最近は『Eゲイト英和辞典』など，意味のコアをつかむのに適した辞典や，認知的アプローチを活用した文法や単語の参考書が多く出回っています。活用しましょう。

● 用例から意味を推測する

用例からその単語の意味を推測するのも，賢いアプローチです。入門編で紹介したグロサリーの形式を使い，その言葉の意味をよく表していると思う英英辞典の定義や，興味深いと思った用例，うまく行ったと思う訳などを記録しておきましょう。あとでまたその単語にぶつかったとき必ず役立つはずです。

	英英辞典 / 同義語辞典	訳例 / 用例
involve	be a part of something / cause to take part	巻き込む，含む，意味する，〜と関係している The boy got <u>involved</u> in a street fight.
commit	perform / be responsible for / engage in / hand over	〔罪を〕犯す，約束する，専心する，コミットする Our team is <u>committed</u> to win.
engage	become involved / make pledge / attract	巻き込む，〔注意・関心を〕引きつける，雇う，かかわる The story is so <u>engaging</u> that I read it in record time.

●言葉のニュアンスに気づく

ネガティブな響きのある言葉なのか，ポジティブな響きのある言葉なのか，といったニュアンスもつかんでください。例えばstubbornとdeterminedはほとんど同じ意味ですが，前者は「頑固」（ネガティブな意味），後者は「意志が強い」（ポジティブな意味）というニュアンスがあります。辞書にはそうしたニュアンスまでは出ていません。ニュアンス次第で読解がまったく逆になることもあるので，見逃さないようにしましょう（下図はその一例）。

negative	neutral	positive
childish	childlike/juvenile	
cheap	inexpensive	
stingy	economical	frugal
skinny		slender
chick	woman	lady
spinster	unmarried woman	
natives	local inhabitants	

●つかんだニュアンスを日本語でどう表現するか

単語の意味をつかんだら，今度は日本語に移し替える番です。わからない単語を英語の綴りのまま残す人がよくいますが，それには「訳さない理由と基準」が必要です――例えば「すべての人名を英語の綴りのまま残す」などとい

う基準も可能ですが，その場合でも有名な人物の場合はどうするかなど，読者が納得できるような基準を設けるのは意外に簡単ではありません。どのような翻訳にも対応できるよう，最初のうちはなるべく日本語に訳すことをお勧めします。

ふさわしい訳語が見つからない場合，パラフレーズ（やさしい言葉で言い換える），補足，カタカナ語のまま表記など，さまざまな方法があります。あらゆる手を尽くしてもぴったりの訳が見つからず，かえって訳文を混乱させる，かつその部分がなくても論旨に影響がないという場合のみ，削除してください。これはあくまで「最後の手段」であり，安易に削除する翻訳者は信頼を得られません。

以下は，パラフレーズと補足を使った訳例です。

> Woody Allen, a <u>native</u> of Brooklyn, is one of the best American filmmakers.
> ブルックリン<u>出身</u>のウッディ・アレンは，アメリカ屈指の映画作家だ。

（パラフレーズした場合）
> ブルックリン<u>で生まれた</u>ウッディ・アレンは，アメリカ屈指の映画作家だ（a native を a person who is born in にパラフレーズ）。

（補足した場合）
> <u>ニューヨークの下町</u>，ブルックリン出身のウッディ・アレンは，アメリカ屈指の映画作家だ（Brooklyn の説明を補足）。

以上，見てきたように，訳語の選び方には創意工夫が求められます。実はここが翻訳のいちばん楽しい部分なのですが，ひとりよがりにならないよう注意しましょう。英語のわかる日本人はたくさんいます。厳しい目が注がれていることを忘れないでください。仲間同士で批評し合ったり，指導者から添削を受けたり，さらにプロとなってからも編集者の意見を聞いたりなど，自分の選んだ訳語で意味が読み手に伝わっているかどうか，たえず確かめる謙虚さが必要です。

◆練習問題◆

1. 以下の英単語（下線部分）に対して，英和辞典，英英辞典，オンライン辞書などを使ってふさわしい訳を見つけましょう。またオンライン検索などを使って，単語の意味をつかむのに役立つ例文も見つけてください。

1) Smith <u>capped</u> the whirlwind week with a performance that included a team-high 10 tackles, two sacks and one forced fumble.
2) Doctor Heymann says H5N1 remains an animal disease. He says there have been only <u>occasional</u> instances where human-to-human infections have occurred.
3) Chad recently became an oil exporting nation, a fact some experts say has raised the economic and political <u>stakes</u>.
4) US diplomats offered fresh <u>insights</u> into the Middle East peace process.
5) The news that a terrorist plot had been uncovered in Britain sent shock waves through the country's Muslim <u>community</u>.
6) Mr. Koizumi angered the Chinese government with his <u>controversial</u> visits to Tokyo's Yasukuni Shrine which is dedicated to the souls of Japanese veterans of WWⅡ, some of whom were <u>allegedly</u> guilty of war crimes.
7) As to Syria, Rice noted that despite strains in the relationship, the United States invited Damascus to the Annapolis Middle East peace conference last month. At the conference, Syria was allowed to make its case for a <u>comprehensive</u> regional accord that would include the return of the Israeli-occupied Golan Heights to Syria.

2. 実践編Ⅷの課題文（P142）から，わかりにくい単語をピックアップしてみましょう。またできあがったリストを，仲間同士で批評し合いましょう。「なるほど！」と思える定義や例文を見つけたら，グロサリーに記録したり，学習者同士で分かち合ったりしましょう。

II 品詞の転換

前章の単語レベルの訳では，名詞なら名詞，動詞なら動詞との置き換えが前提になっていました。ここではさらに，原文の単語の品詞を変えて訳すテクニックを練習しましょう。

言語ごとに表現のしかたには個性があります。同じものが言語Aでは名詞，言語Bでは動詞で表されるということもあれば，言語Cで形容詞であるものが言語Dでは副詞になる……といった場合もあります。

一般的な商業翻訳では，日本語としての読みやすさが優先されるため，起点言語（英語）と目標言語（日本語）の個性の違いを調整することが求められます。こうした調整のための方法は昔から経験的に知られていましたが，安西徹雄はこれを「翻訳英文法」として体系的にまとめています（『英文翻訳術』）。もちろん「英文法」といっても，絶対的なルールではありません。しかし翻訳においてしばしば出あう問題を解決するための実用的な枠組みとして，特に初心者にはたいへん参考になります。

● 名詞を読みほどく

以下のMy enjoyment of this musicのような表現は「名詞化」といい，動作主（動作をする主体）とその動作を一つの名詞のなかにぎゅっと詰め込んでいます。通常，英文ライティングでは動作主を主語に，その行う動作を述語（動詞）にと，シンプルに表現することが奨励され，こうした名詞化は望ましくないとされています。

> × My enjoyment of this music（楽しむ＝enjoyという動作が主語になっている）
> → I enjoy this music（動作の主体であるIを主語に）
>
> × People's lack of social skills（欠けている＝lackという動作が主語になっている）
> → people lack social skills（動作の主体であるpeopleを主語に）

ところが実際には，新聞・雑誌・ビジネス文書などにはこうした名詞化された表現があふれかえっています。動作やできごとを名詞として表すことで，文章に簡潔さとスピード感が出るからです（同じことは日本語にも言えます。漢字熟語をつかうと，簡潔明瞭な表現ができます）。

しかもこうした名詞化表現の後には，修飾部分（説明）が長々と続くことが多いため，訳すのにてこずることが少なくありません。このような場合，名詞を先の例のように「動作主＋動作」にいったん読みほどくと，うまく訳せることがすくなくありません。名詞句のコンパクトさを生かしてそのまま訳す方法と，読みほどいてわかりやすく訳す方法の，両方を使いこなせるようにしておきましょう。

The first appearance of his collection was in Tokyo.
彼のコレクションの初登場は東京だった。……名詞化表現をそのまま訳した例
↓
His collection first appeared
↓
彼のコレクションが初めて登場した……動詞を使ってパラフレーズ
↓
彼のコレクションが初めて登場したのは東京だった。……読みほどいて訳した例

●数量を表す形容詞

安西徹雄によれば，no, many, some, all, every, each など，数量を表す形容詞も品詞を変えることで自然な訳ができるといいます。このテクニックは使い道がとても広いので，ぜひ覚えておきましょう。

<u>Many</u> rooms are still available at Nishinomiya Hotel.
　西宮ホテルでは，まだ<u>多くの</u>空室がある。
　西宮ホテルには，まだ空室が<u>たくさん</u>ある。……形容詞を副詞に

<u>No</u> place in the world is completely safe.
　世界中の<u>どこも</u>，完璧に安全ではない。
　世界中で，完璧に安全な場所など<u>ない</u>。……名詞を形容詞に

基礎編 | 英日翻訳

● 無生物主語の処理テクニック

言語学では人間などの動物を「生物animate」，それ以外のものを「無生物inanimate」と呼びます。日本語の文章では，無生物が何らかのもの（とくに生物）に働きかける文は，（とくに文語的ではない，カジュアルな文章において）やや不自然に感じます。

〔不自然に感じる無生物主語の例〕
何があなたにそこまで自信をもたせるのか？

以下の英文(a)は無生物主語（dunks and athleticism）が生物（him）に働きかけている文章です。これに対して(b)は直訳，(c)は無生物が主語にならないよう工夫した訳です。

(a) Jordan's <u>soaring dunks and graceful athleticism</u> made him a worldwide poster child for the American dream.
(b) ジョーダンの<u>豪快なダンクシュートと洗練された運動能力は</u>，彼を世界中でアメリカンドリームを体現する存在にした。
(c) ジョーダンは豪快なダンクシュートと洗練された運動能力<u>によって</u>，世界中でアメリカンドリームを体現する存在になった。（生物＝Jordanを主語に変えています）

(b)は日本語として間違いではありませんが，やや特殊な文（文学的な文）に見えます。無生物主語は「読み解いて訳したほうが有効」（『英文翻訳術』）といわれるのは，(c)の訳し方のほうがより広い読者に受け入れられるという意味なのです。

● 受動態

受け身（受動態）にはいろいろな働きがありますが，本来の機能は日本語・英語とも「動作主」を示さないことによって原因をぼかしたり，あらがいがたい自然現象や自発的な感情を表したり，被害や利益を強調することです。ところが英語は文法が厳格なため，能動態→受動態という機械的な転換によって，①被害・利益を受けるはずのない無生物が受動態の主語になったり，②被害・利益をもたらさない動詞にまで受動態が使われたり——といったケー

スが出てきました。一方で日本語にはそのような用法の拡大がなかったため，両者のあいだにズレが生じました。英語の受動態を直訳すると不自然な感じになるのは，そのためです。

① 無生物主語の受動態

The speech was written by the president.
　　△ 演説原稿は社長によって書かれた。→ ○ 社長が演説原稿を書いた。
　　※ただし動作主がぼかされている場合は，受け身で訳してもさほど不自然ではありません。

The speech was written in philosophical language.
　　○ 演説原稿は哲学的な言葉遣いで書かれた。

② 被害・利益をともなわない動詞の受動態

The symposium was strongly participated in by students from all over the world.
　　△ シンポジウムは世界中の学生によって大いに出席された。
　　→ ○ 世界中の学生がシンポジウムに大勢出席した。

この2つの例のように，受動態を能動態に変えることで，日本語の訳文での不自然さをなくすことができます。

◆ 練習問題 ◆

以下の文を，下線部分に品詞転換のテクニックを使って訳してみましょう。

1) A clear understanding of a complex situation leads to a competitive edge.（名詞化表現を読みほどく）
2) Their combined efforts have provided us with a deep insight into gender issues.（名詞化表現を読みほどく）
3) The international community will not accept a failure by the Pakistani government to make the upcoming parliamentary elections fair.（名詞化表現を読みほどく）
4) "No end is in sight," said the man.（数量を表す形容詞）
5) For some diseases, such as polio, immunization can actually lead to their total eradication.（数量を表す形容詞）

6) According to WHO officials, very few violent deaths have taken place in Iraqi Kurdistan.（数量を表す形容詞）
7) A weary brain cannot make you happy.（無生物主語）
8) The research helped students develop a much smaller combustion chamber that fuels an energy-efficient, clean-burning stove.（無生物主語）
9) Changes in American trade policy over the past few years have allowed Burkina Faso and other Sub-Saharan African countries to export certain items, such as clothing, to the United States duty free.（無生物主語）
10) These rooms are reserved for visitors.（無生物主語の受動態）
11) The hurdles in our mind have to be eliminated by each one of us.（無生物主語の受動態）
12) Portuguese is spoken by Brazilians.（被害・利益をともなわない受動態）
13) It appears that the house was rented by Mr. Jenkins.（被害・利益をともなわない受動態）

III　イディオムとフレーズ表現

　私たちが語る言葉は，主語＋動詞＋目的語＋補語……というように，個々の単語がバラバラに並んでいるのではありません。いくつかの単語がかたまりになっていることがしばしばあります。しかも，そのかたまり方にはいろいろな種類があります。こうした複数の単語のかたまりのことは，フレーズといったり，イディオムといったり，word strings, PLI (phrasal-lexical items)[1], prefabricated expressions, ready-made phrases など，いろいろな名前で呼ばれています。ここでは一括して「フレーズ表現」と呼ぶことにして，どんな種類があるか考えてみましょう。

① **イディオム idiom** ── 元の意味と完全に変わってしまっている場合
　have one's head in the sand を「砂に頭をつっこんでいる」などと訳す人はいません。「目をつぶる」と意訳しても，まず抵抗は感じないでしょう。

例：have one's head in the sand ＝目をつぶる，直面しないでやりすごす
Many people have their head in the sand about racism.
多くの人が，人種差別について目をつぶっている。

② **イディオムに近い表現 idiom-like expressions** ―― 比ゆ的な意味と直接的な意味の両方がある場合

以下の blow off steam は，日本語にもよく似た「ガス抜きする」という表現があります。これも「職場で気まずいムードになったので，居酒屋でちょっと<u>ガス抜きしてきた</u>」という比ゆ的用法と，「この圧力なべは，<u>ガス抜きしてから</u>ふたを開けてください」という直接的な意味の両方があります。

例：blow off steam　　　　　　　　　うっぷんを晴らす／蒸気を抜く
　　We blew off steam at the local bar.　私たちはバーで息抜きをした。
　　The ship blew off steam.　　　　　　船から蒸気があがった。

③ **コロケーション collocation** ―― 連語ともいう。比ゆ的な意味がもとになっていて，それぞれの文化によって異なる。

例：brush teeth――teeth（歯）は英語では brush（こする），イタリア語では polish（磨く），ポーランド語では wash（洗う），ドイツ語とロシア語では clean（掃除する）といいます（Mona Baker, *In Other Words*）。日本語はイタリア語と同じということになります。

④ **一般的な決まり文句 fixed expression**

例：There is more to something than meets the eye.
（見た目より複雑である／面白い）

⑤ **専門用語 field-specific word strings や流行語 buzzwords**

専門分野の知識がないと，専門用語のフレーズをふつうの単語の組み合わせと勘違いすることがあるので要注意です。こうしたフレーズ表現は辞書に載っていないことが多く，インターネットなどを使ったリサーチが必要です。

例：tropical depression（熱帯低気圧），localized burst（局地的豪雨），genetic variation（遺伝的多様性），professional negligence leading to death（業務上過失致死），carbon neutral（カーボン・ニュートラル）

⑥ **クリシェ cliché** —— クリエイティブなメタファー表現や定型句が陳腐化したもの。
日本語でいえば「黒山の人だかり」「あってはならないこと」「前向きに善処します」などのように, ある場面に決まって使われる, 使い古された表現。
　例：Happy as a clam (幸せ), eyes like a hawk (鋭い視線), at the end of the day (after all), in this day and age (today)

⑦ **フォーミュラ formulae** —— 会話の潤滑油。感謝, 同意などの表現。
日本語でも,「そうですね」「なんとお礼を申し上げてよいやら」などがあります。
　例：you know, something like that, May I help you?, Will you marry me?

⑧ **金言・ことわざ sayings and proverbs** —— マザーグースや聖書の引用, 映画の題名なども含まれる。
　例：an eye for an eye (「目には目を」。聖書から), that's the way the cookie crumbles (「人生とはそんなものだよ」。ことわざ)

⑨ **バリエーション variations** —— 上記のようなさまざまなフレーズ表現の一部を入れ替えたもの。見抜くのがむずかしいので要注意。
　例：carrot and stick (あめとむち) のバリエーション。
　A carrot for supporters and a stick for the unfaithful is a grand tradition in politics.
　支持者にはアメを, 離反者にはムチを与えるのが, 政治の大いなる伝統である。

⑩ **言葉遊び puns** —— フレーズ表現の一部を入れ替えて, パロディ化したもの。例えば夏目漱石の原稿が紛失した事件を報じる新聞記事の見出しで,「漱石の草稿, 紛失——どこで『道草』?」のような例。
　例：More than meets the nose: Non-smokers little-served by air purifiers (more than meets the eye = 見かけ以上のもの, という④のイディオムのeyeをnoseに変えた言葉遊び。最新の空気清浄器が, 煙を浄化しない, つまり「見かけ (嗅ぎかけ?)」とは違う, という主旨の新聞記事の見出し)[2]
　Gone with the Noodles (有名な小説のタイトル Gone with the Wind (風とともに去りぬ) のもじり)

以上のように，日本語にも英語にも実にたくさんのフレーズ表現があることは，わかっていただけたと思います。

人間の言語において，フレーズ表現がどのくらいの割合を占めるのか，正確なデータはありませんが，かなり多いことはたしかです。それに対して，私たちはどのくらい敏感になっているでしょうか。イディオムやことわざのたぐいにはけっこう敏感です。しかし上に見るように，イディオム以外にもフレーズ表現はたくさんあります。そして問題は，こうしたフレーズ表現においてこそ，ネイティブスピーカーと学習者の差が大きい，ということなのです。したがって，まずそれがフレーズ表現であるかどうかを見抜く力をもつことが大切です。そして，あやしいと思ったら，まめに辞書を引くようにしましょう（上にあげたフレーズ表現の大半は，実際に辞書に出ています）。

逆に辞書に出ていないフレーズ表現もたくさんあり，特に専門用語などは要注意です。そのような場合はP21の検索法を参考にして調べてください。

●日本語のフレーズ表現を意識した訳

いくら「原文に忠実に」といっても，brush teethを「歯をこする」と訳したり，Good morning.を「良い朝ですね」と訳したりする人はいないでしょう。長年使われてきたフレーズ表現ほど，意味も固定化しています。ですから「フレーズ表現はフレーズ表現で」訳してもかまわないのではないでしょうか。ところが実際には，「歯をこする」とは決して訳さない人が，少し長めの文章になるととたんにフレーズ表現の存在を忘れてしまいます。

(a)は辞書に出ている最初の訳語をそのまま当てはめた訳例です。通常，(b)のように「異例の譲歩」ということはあっても，「普通でない譲歩」とはいわないでしょう。どうしても忠実に訳したいなら別ですが，そうでないなら逐語訳にこだわらず，日本語のコロケーションに合った訳語を探してみてください。

That was an unusual concession from the local community.
 (a) それは地域社会からの<u>普通でない譲歩</u>だった。
 (b) それは地域社会からの<u>異例の譲歩</u>だった。

ジャンルも訳語を選択するときの大切な要素です。例えば以下の文を子ども向けに訳すのと，動物学関係の学術論文として訳すのでは，まったく訳語の選択がちがってきます。専門分野の訳では，定訳をきちんと調べましょう。

The panda was taught to <u>build a den</u>.
　　パンダは<u>巣をつくる方法</u>を習った。（子ども向け）
　　パンダは<u>営巣法</u>を習った。（動物学の雑誌向け）

◆ 練習問題 ◆

以下の下線部分のフレーズ表現に注意しながら，訳してください。

1) Serena Williams is a very talented tennis player, and <u>knows what she is doing</u>.
2) "I think a lot of people can <u>make a really important difference</u> while making a living."（フレーズ表現のバリエーション）
3) If your face is thin and long, avoid a <u>blunt cut</u>. It makes your face appear even longer.（ヘアスタイルのアドバイス。専門用語のフレーズ表現）
4) The New York Times predicts that the Middle East peace talks will <u>get off to a rocky start</u>.
5) He might have been killed; <u>as it was</u> he was only slightly injured.
6) The congressman's position <u>put</u> him <u>at odds</u> with his party and with President Bush.
7) Writing a computer program is not something <u>every Tom, Dick and Harry</u> can do.
8) When you choose your career path, <u>you can't have your cake and eat it too</u>!
9) <u>Thumping your chest</u> and attacking your opponents might seem a clever campaign strategy, but it's a <u>slippery slope</u>.
10) Federal law guarantees women's rights to <u>equal opportunity</u> in education and in the workplace.

IV 長文の攻略(1) ── 分詞構文,関係詞構文

長文の攻略は,読解の段階でも,日本語に移し替える段階でも,翻訳者を泣かせる障害物になっています。その原因は,英文のプロのライターが,読み手を飽きさせないよう,あの手この手で文章に変化をつけているからです。以下の(a)の文と(b)の文を比べてみてください。

〔(a) 稚拙文と (b) 成熟文〕

(a) I grew up in Chiayi. Chiayi is a nice little town. Everyone is peace-loving and friendly there. The town is located in the southern part of Taiwan. Taiwan is the island which was formerly known as Formosa.
　　私は嘉義で育った。嘉義はかわいらしい町だ。そこでは誰もが友好的で人懐こい。この町は台湾南部に位置している。台湾はかつてフォルモサと呼ばれた島だ。

(b) I grew up in Chiayi, a nice little town where everyone is peace-loving and friendly. The town is located in the southern part of Taiwan, the island formerly known as Formosa.
　　私が育ったのは嘉義というかわいらしい町で,そこでは誰もが友好的で人懐こい。この町はかつてフォルモサと呼ばれた台湾の南部に位置している。

(小正幸造『すぐれた英語翻訳への道』1989年より)

(a)の文章は子どもっぽく単調なのに対し,(b)の文章は大人っぽく,短い文章のなかに情報がコンパクトに詰め込まれています(aとbの日本語訳でも同じことがいえます)。このように文章を凝縮して情報の価値を高めるテクニックには,「分詞構文」「関係詞構文」「同格構文」「副詞句を使った構文」などがあります。こうしたテクニックを使うと,センテンスが長く複雑になるため,「長文」の読解はプロのライターが書いた文章を訳すときのポイントになるのです。

ここでは「成熟文」を「稚拙文」に戻す練習をとおして長文の分析法を学び,それを日本語にどう移しかえるかについては,VI章(P51)で考えます。

● 分詞構文

分詞構文には，現在分詞と過去分詞の2種類があります。以下のように，もともと2つだった文を一つに合体させて，大人っぽい文章にしています。そのことを踏まえ，両者の主語が一致していることをあらためて確認しましょう。

<u>We</u> stayed in London. <u>We</u> waited for our visa approval.
→ <u>We</u> stayed in London, waiting for our visa approval.（現在分詞の例）
　　私たちはロンドンに滞在しながら，ビザが下りるのを待った。
<u>He</u> was silent. <u>He</u> was defeated by the sense of helplessness.
→ <u>He</u> was silent, defeated by the sense of helplessness.（過去分詞の例）
　　彼は無力感に打ちひしがれて沈黙した。

さらに，分詞を使った部分（分詞句）は3つの場所に入ることができます。惑わされないようにしましょう。

The family stayed in London, <u>waiting for their visa approval</u>.（後置）
<u>Waiting for their visa approval</u>, the family stayed in London.（前置）
The family, <u>waiting for their visa approval</u>, stayed in London.（挿入）

他の要素をいっさい考えなければ，文の順序はものごとの起きた順番とおおむね一致します。

The family stayed in London, waiting for their visa approval.（後置）
　　一家はロンドンに滞在しながら，ビザが下りるのを待った。
Waiting for their visa approval, the family stayed in London.（前置）
　　一家はビザが下りるのを待って，ロンドンにとどまった。

ただし前後の文脈，一般常識などによって，上のルールは必ずしも絶対ではありません。話の流れや，そこに描かれている状況をよく考えて，2つの部分の関係（同時，原因，条件，譲歩，結果など）を，文脈や常識からそのつど特定してください（ただし lead, result, cause, make, prompt などの特定の動詞を使った場合は，結果を表すことが多いので参考にしましょう）。

43

◆ 分詞構文のバリエーション

①Whileやafterなどの前置詞を使った分詞構文。
　<u>After finishing the book</u>, I ate the dinner.
　　その本を読み終わったあと，夕食を食べた。

②主語の異なる2つの文を合体させているため，分詞節に主語のついた分詞構文（With構文）。
　The train pulled to a stop <u>with passengers screaming in panic</u>.
　　<u>The train</u> pulled to a stop. ＋ <u>Passengers</u> screamed in panic.
　　列車が停止し，乗客はパニック状態になって悲鳴を上げた。

③Dangling（懸垂）といい，分詞と主節の主語が一致しない分詞構文もあります。本来は文法的な間違いですが，慣用的にしばしば使われます。
　<u>Considering this scenario</u>, a minor correction seems to be necessary.
　　<u>We</u> consider this scenario. <u>A minor correction</u> seems to be necessary.
　　このシナリオを考えると，微調整が必要のようだ。

④beingを省略した分詞構文（これも文をコンパクトにするのでよく使われます）。
　At times (being) close to tears, she was still very much in control.
　　ときに目をうるませながらも，彼女はしっかり自分をコントロールしていた。

◆ 後置分詞とまちがえない

同じように分詞を使った構文でも，「関係詞節を省略した用法」（後置分詞という）というよく似た使い方があるので，混同しないように注意しましょう。この用法も，情報をコンパクトに表現するのに便利なテクニックとして，ネイティブ・ライターの文章に頻繁に登場します。

　I took pictures of the girls <u>dancing on the floor</u>.（後置分詞）
　　→I took pictures of the girls (who were) dancing on the floor.
　　　私はフロアでダンスを踊る女の子たちの写真をとった。
　I took pictures of the girls, <u>dancing on the floor</u>.（分詞構文）
　　→I took pictures of the girls. ＋ I was dancing on the floor.
　　　私はフロアでダンスを踊りながら，女の子たちの写真をとった。

●関係詞構文

おなじみの関係詞構文は，which, that, who, when, where, what などを使って2つの文を一つにします。P42の「稚拙文と成熟文」の例文でも，関係副詞 where を使って情報をまとめ，大人っぽい成熟文をつくっていました。

> Chiayi is a nice little town. In this town, everyone is peace-loving and friendly.
> → Chiayi is a nice little town where everyone is peace-loving and friendly.
>> 嘉義はかわいらしい町で，そこでは誰もが友好的で人懐こい。

関係詞構文も分詞構文と同じく，関係詞節の入る場所は一つではありません。S＋V＋O/C のS（主語）のあとに入る場合，O（目的語）やC（補語）のあとに入る場合，さらに文のさまざまな場所に入る副詞句のあとに入る場合などです。

> Nature, which she represents, is the mother of all things.（Sのあと）
> S
>> 彼女が象徴する自然は万物の母である。

> He ran a consulting business that worked with major insurance companies.（Oのあと）
> 　　　　　O
>> 彼は大手保険会社を取引先とするコンサルタント会社を経営していた。

> Many cars were parked outside the church, where the congregation gathered.（副詞句のあと）
> 　　　　　　　　　　　　　　副詞句
>> たくさんの車が，参列者が集う教会の外に駐車していた。

◆練習問題◆

以下のうち，1) と 2) は，省略された部分を補ってから，3)～12) は2つの英文に分けたあと，訳してみてください。

1) I like all the movies <u>directed</u> by Steven Spielberg.（後置分詞）
2) The number of people <u>applying</u> for unemployment compensation shot up sharply by 69,000 to a total of 375,000.（後置分詞）
3) An enormous number of plastic bags were thrown away, <u>taking</u> up space in landfills and clogging waterways.（分詞構文）
4) After <u>installing</u> solar panels, our yearly energy bill was reduced by 50%.（懸垂分詞構文）
5) With a recession <u>looming</u>, people are considering making changes to their investment portfolios.（主語の異なる分詞構文）
6) <u>Shot</u> in the lower back, the soldier remembers being thrown on a stretcher.（分詞構文）
7) <u>Asked</u> by the host if she ever considered a movie career, Senator Clinton was unable to stifle a guffaw.（分詞構文）
8) Les Paul decided to combine different guitar sounds, <u>mixing</u> in the voice of his wife, singer Mary Ford.（分詞構文）
9) The only exceptions to smoking ban are commercial establishments <u>that</u> provide sealed smoking areas with separate ventilation systems.（補語のあとに入る関係詞構文）
10) A pilot <u>who</u> loses visual references while flying at night can become disoriented, unable to tell up from down, right from left.（主語のあとに入る関係詞構文）
11) Blaring car horns and crackling firecrackers resounded throughout Pristina, <u>whose</u> streets were crowded with thousands of jubilant people.（副詞句のあとに入る関係詞構文）
12) When the price of rice doubles overnight, people face a situation <u>where</u> most families don't even have enough money to feed their children.（目的語のあとに入る関係詞構文）

V　長文の攻略(2) ── 同格構文, 挿入構文, 複々文

同格構文や挿入構文もまた，情報をコンパクトにするために，特に新聞雑誌などできわめて頻繁に使われるテクニックです。

● 同格構文

P42の「稚拙文と成熟文」で，Chiayi（嘉義）とa nice little town（かわいらしい町）はイコールでつなげる関係です。このような場合に，補足して説明する部分（a nice little town）をカンマで囲んで挿入するのが同格appositiveです。

> I grew up in Chiayi. ＋ Chiayi is a nice little town where everyone is peace-loving and friendly.
> → I grew up in Chiayi, a nice little town where everyone is peace-loving and friendly.

同格構文も，分詞構文や関係詞構文と同じく，挿入が文中に入る場合と，文末に入る場合があるので注意しましょう（上の例では文末に入っている）。

> Half of the town's population was sitting in the auditorium in Des Moines, the state capital, when the girls ran out on the big floor.（文中に入る例。カンマではさむ）
> 町の住民の半分が，州都であるデモインの体育館に着席するなか，少女たちがフロアに飛び出してきた。

> A new policy was announced by Citgo Petroleum co., an oil-refining giant owned by the Venezuelan government.（文末に入る場合。カンマは一つ）
> 新しい政策が，ベネズエラ政府が所有する石油精製会社シトゴ・ペトロレアムによって発表された。

特に長い挿入が入ると，訳につまづくケースが多く見られます。慣れないうちは挿入の部分をカッコに入れて訳すと良いでしょう。慣れてきたら，カッコをはずす方法を考えましょう（次章の「順送り・逆送り」を参照）。

（カッコに入れて訳した例）
> 新しい政策がシトゴ・ペトロレアム（ベネズエラ政府が所有する石油精製会社）によって発表された。

またclausal appositiveといい，clause（句）全体にかかる同格構文もあります。

Eddie <u>lost his house in a game of jacks, a pretty silly move</u>.
エディはポーカーで自宅を失った。これはとても愚かな行為だ。

Walt <u>is getting married, a surprising development</u>.
ウォルトが結婚するそうだ。まさかこうなるとは思わなかったよ。

●挿入構文

同格構文は2つの部分がイコールの関係にありましたが，必ずしもイコールの関係ではなく，補足的な説明を挿入する場合に使われるのが挿入 parenthesis です。カンマではさむ場合と，ダッシュではさむ場合があります。挿入は日本語の文章にも見られるテクニックなので，さほどむずかしくないはずです。

"The Shop," <u>as everybody calls it</u>, is situated at the corner of North and West Streets.
「ザ・ショップ」(みんなはそう呼んでいるのだが)は，ノース通りとウエスト通りの交差点にある。

Some Red Socks fans – <u>there were young girls and boys</u> – were yelling and crying outside the stadium.
一部のレッドソックス・ファンは——そこには少年少女もいたが——スタジアムの外で泣いたり叫んだりしていた。

ダッシュが使われている場合，訳文でもダッシュを使って訳してかまいません。ただし本来，日本語の文章にダッシュはあまり使われないことを念頭に入れておいてください。
同格構文も挿入構文も，挿入部分は必ずその<u>直前に来る部分</u>を説明しています。

"The Shop," as everybody calls it, is situated at the corner of North and West Streets.

Some Red Socks fans – there were young girls and boys – were yelling and …

●直接話法の伝達部

挿入に関連して，直接話法における say, ask, tell などの伝達部も，引用部分のさまざまな位置に入るので注意しましょう。これも新聞・雑誌で頻出するスタイルですので，惑わされないようにしましょう。

> 例：# George and I # went swimming together. #[(3)]

上の3カ所の # 部分に，I said のような伝達部が入ります。すなわち以下の3つの形が可能です。

(a) I said, "George and I went swimming together."
(b) "George and I," I said, "went swimming together."
(c) "George and I went swimming together," I said.

話し言葉では(a)が最も一般的ですが，翻訳するときは(b)の挿入型が最もまどわされやすいといえます。英文ライティングでは，長い引用になった場合，早めに発言者を明示しなければならないというルールがあるため，挿入型がよく使われます。しかし日本語では尊敬語や丁寧語，男言葉・女言葉の区別があり，発言者が誰かを特定しやすいので，以下のように後ろにまとめてかまわないでしょう。

"In the past, soccer would be most popular," said Mutombo, "but today, in any country, young kids will recognize many NBA players."
　「かつてはサッカーが一番人気があった」とムトンボは言う。「だが今では，どこの国の子どもたちも大勢のNBA選手を知っている」
　　　　↓　　　↓
　「かつてはサッカーが一番人気があったが，今ではどこの国の子どもたちも大勢のＮＢＡ選手を知っている」とムトンボは言う。

同じ理由から，翻訳小説などでは he said, she said などの伝達部をカットしてしまう場合もあります。日本語では言葉遣いで性別や地位がわかるため，伝達部をいちいち訳すとくどく感じられるためです。

さらに，英文では主語が長い場合に伝達部の「Ｓ＋Ｖ→Ｖ＋Ｓ」の倒置が頻

繁に起こります。新聞・雑誌ではこのような形が少なくないので，頭の隅に置いておいてください。

> "It was very frustrating," <u>said the government official</u>, who attended the Bali Climate Change Summit.

「非常にいらだたしかった」と，気候変動バリ会議に出席した政府高官は言った。

● 複々文

以上，2章にわたって，翻訳者を悩ます複雑な構文について見てきました。このほか，3つ以上の文を一つにまとめた複々文も，新聞・雑誌などには少なからず登場します。構文が2種類以上使われているというだけで，処理のしかたはふつうの長文と同じです。あわてずに対処してください。

以下の例は1つのセンテンスのなかに同格（＿）が2箇所，挿入（＿）が1箇所，関係詞節（＿）が2箇所使われています。

> Members of the two-time world champion Los Angeles Sparks, <u>that city's women's team</u>, garner as much "show time," <u>as their players might say</u>, on any given game day in the plush downtown Staples Center as the men <u>who play for the Lakers, the National Basketball Association (NBA) team that sponsors the Sparks</u>.

◆ 練習問題 ◆

1. 上記の「複々文」を，なるべく細かく単文に分けてください。さらにその分析を踏まえたうえで，自由に訳してみましょう。

2. 以下の文を訳してみましょう。慣れないうちは，（　）を使ってもかまいません。

1) This hotel, <u>to tell the truth</u>, has not lived up to my expectations.（挿入）
2) This country used to be, <u>in effect</u>, a secretive one-party state.（挿入）
3) As the rest of the world gets interested in ethanol, both as a fuel in

its own right and as a fuel additive—<u>to replace methyl tertiary-butyl ether, or MTBE, an anti-knocking additive that is on its way out for environmental reasons</u>—Brazil is ramping up exports.（挿入構文）

4) After the tsunami hit Sri Lanka the day after Christmas, 2004, Physicians for Peace, <u>a non-profit organization that provides medical assistance around the world</u>, was contacted by a group of people eager to help.（同格構文）

5) Martin went on to win a professional golf event in spite of a congenitally deformed and atrophied leg, <u>the result of a degenerative circulatory disorder</u>.（同格構文）

6) Newman fans love his "Fast" Eddie Felson, <u>a small-time but talented and cocky pool hustler with a self-destructive streak</u>.（同格構文）

7) Mancuso raced through fog and snow to win the Giant Slalom, <u>the first U.S. victory in 22 years</u>.（clausal appositive）

VI　順送りの訳，逆送りの訳

関係詞構文・分詞構文・挿入構文などの長文の読解ができるようになったら，今度は理解した内容を日本語に転換する番です。

あなたは分詞構文なら「～しながら」，関係詞構文ならひっくり返して訳す……というように，機械的に訳していませんか？　ここでは「順送りの訳」と「逆送りの訳」を対比することで，より柔軟な訳への脱皮をはかります。練習問題をとおして自分の訳と教科書の訳をくらべてみるのも，そうした意識を高めるのに役立つでしょう。

Ⅳ～Ⅴ章で述べたような複雑な長文は，すべて修飾部によって情報をつけたす構造になっています。

　I grew up in <u>Chiayi</u>, <u>a nice little town</u> <u>where everyone is peace-loving and friendly</u>.　　被修飾部 ←—— 修飾部
　　　　　　　　　　　　　　　　被修飾部 ←—————— 修飾部

51

The town is located in the southern part of <u>Taiwan</u>, <u>the island formerly known as Formosa</u>.　　　　　　　　　被修飾部 ←―――― 修飾部

上の例文に見るように、英文では「被修飾部＋修飾部」の順番で右へ右へと文章がつながっていきますが、日本語の場合は、すべて「修飾部」＋「被修飾部」の順番で、左側がふくらんでいきます。こうした英語と日本語のズレが、英日翻訳を行うときの大きな難題になるのです。

このギャップを解消する方法を、日本人は昔から考えてきました。例えば関係詞構文では、「〜するところの」という表現を使い、修飾部を後ろから前にひっくり返して訳す「逆送りの訳」で訳していました。

Nature, <u>which she represents</u>, is the mother of all things.
　　<u>彼女が顕現するところの</u>自然はすべての物の母である。
　　　　　　（大町桂月訳『ポンペイ最後の日』大正4年、森岡健二『欧文脈の研究』より）

最近では、安西徹雄の著書（P33）を始めとする多くの翻訳指南書が、日本語と英語の違いにとらわれず、英文の順番どおりに訳すこと（順送りの訳）を重視するようになりました。その根拠となっているのは、他の要素をいっさい考えなければ、情報は書き手の頭に思い浮かぶ順に並べられるため、翻訳においても情報の並べ方を変えないほうがよい（順送りの訳のほうがよい）、との考え方からです。これに従うと、上の訳は以下のようになります。

Nature, <u>which she represents</u>, is the mother of all things.
　　自然は<u>彼女が顕現するものであって</u>、すべての物の母である。

●順送りの訳と逆送りの訳の使い分け

これまでの練習問題でも気づいたと思いますが、順送りの訳にしたほうがよいケースは確かに少なくありません。もしあなたが、学校英語・受験英語のクセで自動的に逆送りの訳をしている場合は、発想を転換すべきでしょう。しかし一方で、日本語と英語の構造の違いから、順送りが不可能な場合も少なくないのです。さらに、順送り・逆送りのどちらでも訳の読みやすさに大きな影響がないケース（つまりどちらでもかまわないケース）も、実際にはかなりあります。特定の方法にとらわれず、柔軟に判断しましょう。

では，どのようなときに順送りをし，どのようなときに逆送りをすればよいのでしょうか——以下はその目安です。

① 関係詞構文の場合は，学校文法で習ってきた順送り・逆送りの使い分けに関する，次のルールを基本にするとよいでしょう。

〔(a) 制限用法 (カンマなし) は「逆送り」，(b) 非制限用法 (カンマあり) は「順送り」〕

(a) His vehicle crashed into another car that was stopped at a traffic light facing the Town Hall.
(逆送り) 彼の車は市庁舎に面する信号で止まっていた別の車にぶつかった。(○)
(順送り) 彼の車は別の車にぶつかったが，その車は市庁舎に面する信号で止まっていた。(△ あいまいな文になる)

(b) In this movie, the star pitcher of a professional baseball team is determined to make the season memorable for his sick friend, who will eventually die of cancer.
(逆送り) この映画では，プロ野球のスター投手が，やがてガンで死ぬことになる親友のために，そのシーズンを記念すべきものにしようと決意する。(△)
(順送り) この映画では，プロ野球のスター投手が，親友のためにそのシーズンを記念すべきものにしようと決意するが，その親友はやがてガンで死んでしまう。(○ 話の流れがより自然)

② 文が長い場合は順送りに。
文のなかでは主語と述語の重要度が高いため，日本語のようなＳＯＶ言語では，ＳとＶの距離をなるべく小さくしたほうがメッセージを理解しやすいといわれています[4]。そのため，全般的な傾向として，長文は２つに切って訳したほうが日本語として自然な，読みやすい訳文になります。

Thanks to mediation efforts by the Lower House Speaker and the Upper House President, the ruling and opposition parties have averted a fierce confrontation over the government's tax code bill, which includes maintaining provisionally raised gasoline and road-related taxes for 10 years from fiscal 2008.

△（逆送り）衆参議長の調停のおかげで，与野党は，ガソリン税や道路関連税の暫定税率を2008年度から10年間延長することを含む，政府が提出した税法案をめぐる激しい対立を回避した。
○（順送り）衆参議長の調停のおかげで，与野党は政府が提出した税法案をめぐる激しい対立を回避した。この法案には，ガソリン税や道路関連税の暫定税率を2008年度から10年間延長することが盛り込まれていた。

③前後の文も含めた「話の流れ」から。
以下の例では，順送りのほうが話の流れがよいように感じられます。これは特定のトピック（ここでは商店街）がスムースにリレーされているためで，このような場合には原文の情報の提示順を特に尊重する必要があります。

David Gillen is a journalist who was born and grew up near <u>the strip</u>. <u>The area</u> is crowded with shoppers at all times of the day.
　○（順送り）デービッド・ギレンはジャーナリストで，<u>この商店街</u>の近くで生まれ育った。<u>この地区</u>は一日中，買い物客でごった返している。
　△（逆送り）デービッド・ギレンは，<u>この商店街</u>の近くで生まれ育ったジャーナリストである。<u>この地区</u>は一日中，買い物客でごった返している。

④その文が表す「場面・状況」によって，逆送りでないと，あるいは順送りでないと処理できないことがある。
日本語の場合は必ず従属節が先行しますが，「前提となる内容」を主節（後方の節）で述べることはできません。

(a) 順送りにせざるを得ない場合（前半の節が前提となっている）

He was sleeping when he was awakened by a roaring wind noise.
　○（順送り）彼は眠っていたが，うなるような風の音で目が覚めた。
　△（逆送り）うなるような風の音で目が覚めたとき，彼は眠っていた。

(b) 逆送りにせざるを得ない場合（後半の節が前提となっている）

I walked down the road after I had made my call to the emergency line.
　○（逆送り）緊急連絡をしたあと，道路を歩いていった。
　△（順送り）道路を歩いていった。その前に緊急連絡をした。

⑤原文のジャンルや訳文の読者による違い。
後戻りせずスピーディーに読めることが求められるマニュアルやビジネス文書や，時系列にそって話の進む物語文（narrative）には，順送りの訳が向いています。ジャーナリスティックな文や論文などは，逆送りになるケースもふえるでしょう。もってまわった文章が好きかどうかなど，ライターの個性によっても順送り・逆送りの比率は変わってきます。

最終的には，翻訳者がケースバイケースで，順送り・逆送りを選択しなければいけません。ただし，機械的に訳せる逆送りの訳とちがい，順送りの訳をするには日本語の表現に，以下のような工夫が求められます。

●順送りで訳すコツ

逆送りは修飾部を被修飾部の前にもっていく機械的な操作なので，確実に訳すことができます。一方，順送りで訳すときは，単に2つに切るだけでなく，修飾部と被修飾部の関係を訳文に反映させることや，日本語らしくするための工夫やコツが求められます。

① 文を2つに切り，両者の関係を示す

単に2つに切るだけでなく，2つの部分の関係（結果，原因，並列など）を訳文に反映させることが大切です。

> The police have not decided what to do with these protesters, who may or may not be terrorists.
>> 警察はこれらのデモ参加者をどうするか決めていない。彼らがテロリストかどうかわからない。（2つの部分の関係が不明瞭）
>> → 警察はこれらのデモ参加者をどうするか決めていない。彼らがテロリストかどうかわからない<u>からだ</u>。（2つの部分の関係を示している）

② 文接続助詞でつなぐ

> The Kinki region manager flew to Tokyo, where he was awarded "Manager of the Most Improved Region."
>> 近畿支部長は東京に飛んだ。彼は「最も業績を改善したマネジャー」として表彰された。
>> → 近畿支部長は東京に<u>飛んで</u>，「最も業績を改善したマネジャー」として表彰を受けた。（「飛び」としてもかまいません）

③ 強調構文に変える

Both the ruling and opposition parties must seriously consider whether the present system can be changed so that money is put to better use.

 与野党とも真剣に考えるべきだ。現在のシステムを，財源をもっと有効に使えるように変えられないかどうかを。

  → 与野党が真剣に<u>考えるべきは</u>，現在のシステムを変えて，財源をもっと有効に使えないかどうか<u>ということである</u>。

④ 伝達動詞を「〜によれば」に変える

The scientists <u>argue</u> that the development of global biogeochemistry models must build slowly from the strong foundations that NPZD models have provided us.

 科学者たちは主張する。全球的生物地球化学モデルは，ＮＰＺＤモデルがもたらした堅固な基盤の上に，時間をかけて構築されるべきであると。

  → 科学者たちの<u>主張によれば</u>，全球的生物地球化学モデルは，ＮＰＺＤモデルがもたらした堅固な基盤の上に，時間をかけて構築されるべきである。(say, answer, suggest, claim, warn, point out などの伝達動詞に使える方略です)

⑤ 送り込み方略（文頭の語に関係節などの修飾部分がついている場合）

Matsuzaka, who has had nine wins this year, is now on the disabled list.

 松坂は故障者リストに入っている。彼は今年，9勝を挙げている。

  → 松坂は今年，9勝を挙げているが，現在は故障者リストに入っている。

⑥ カンマ以外のところで文を切る（上級）

A massive tower of smoke roiled skyward above the Niger Delta on the west coast of Africa, where oil was burning near a ruptured pipeline.

 巨大な塔のような煙が，西アフリカのニジェール・デルタの上空に噴きあがった。石油パイプラインが破裂し，石油が燃えているのだ。

  → 巨大な塔のように，煙が空高く噴きあがった。西アフリカのニジェール・デルタを走る石油パイプラインが破裂し，石油が燃えているのだ。(前後の文脈により，あるいは不要な情報を削除する場合などに使う，上級のワザ)

◆**練習問題**◆

1. 以下の文を，順送りの訳・逆送りの訳の両方で訳してみましょう。

1) Mr. Koizumi snatched the leadership in 2001 only after a huge popular vote from party members forced the hand of the party bosses.
   (force one's hand：強いる)
2) The incident happened near the railway station, followed by a car chase that involved three vehicles.
3) Mr. Okada has come back as coach to the national team to ensure its qualification for the 2010 World Cup.
4) Cristiano Ronaldo has combined speed and elusiveness to become the highest scorer.

2. Ⅳ章の練習問題 3)～12)，Ⅴ章の練習問題 2. の 1)～7) を，自分の答えが順送りなら逆送り，逆送りなら順送りに変えて訳してみましょう（ただし，転換ができない文もあります）。

3. 実践編 P135 の練習問題の第2段落（American women resemble their Scandinavian sisters … 以下）を，論旨の展開から考えて，順送りの訳・逆送りの訳のどちらがよいかを判断しながら訳してください。

Ⅶ　theを使った言い換え

定冠詞 the にはいろいろな用法があります（日英編Ⅱ章（P78）参照）が，英日翻訳でも，the がついていたらすでに登場した名詞の「言い換え」である可能性が高いので注意しましょう。
次の例文を見て，最初の a boy という言葉がどのように言い換えられているか見てみましょう。

(a) There is a boy climbing that tree. The boy is going to fall if he doesn't take care.
(b) There is a boy climbing that tree. The lad is going to fall if he doesn't take care.
(c) There is a boy climbing that tree. The child is going to fall if he doesn't take care.
(d) There is a boy climbing that tree. He is going to fall if he doesn't take care.

(Mona Baker, *In Other Words*, 1992)

例文の(a)はaをtheに変えただけですが，a boyは初登場，the boyは再登場であることに注意しましょう。(b)はboy（男の子）をlad（少年）という「同意語synonym」に，(c)はchildという「上位語superordinate」に言い換えています（childにはboyとgirlがあり，childのほうがカテゴリー的に上位に来るため，「上位語」といいます）。このように，上位語で言い換えることもよくあります。(d)はHeという代名詞に変えています。おなじみの表現でむずかしくないように思えるかもしれませんが，複数の男性が登場する場合など，どの「彼」かを文脈や状況から推理する力が求められます。また無生物がitやtheyで置き換えられている場合も，何を指しているかを常に意識すること。特にtheyは人間のことと思い込みがちなので注意してください。

Disney opened a new theme park in Hong Kong, which it touts as its biggest and boldest effort to build its brand in China.

ディズニーは香港に新しいテーマパークをオープンした。ディズニーによれば，これは中国でディズニー・ブランドを確立するための，最も大規模で野心的な試みだという。（下線部分は「同社」などとすることも可能）

●前に登場していないものをtheで言い換える場合

上記の例ではboyという言葉が最初に登場していましたが，いちども登場しない単語にいきなりtheがついて登場するケースもあります。以下の例のように，前後の文脈から類推して，すでに登場したとみなせる場合です。

Some ethanol plants use natural gas and coal to run the processors.

一部のエタノール工場では，天然ガスや石炭でエタノール精製装置を稼働している。

Engineers of these plants are developing innovative methods to make <u>the process</u> more economic.

　これらの工場の技術者は，<u>エタノールの精製</u>をより経済的にするための革新的な方法を開発している。

いずれも一般常識や文脈から類推して，初登場である processor や process がエタノールの精製装置やプロセスであることは明らかです。the の存在を無視し，「プロセッサー」「プロセス」というように，辞書の訳を単純にあてはめないようにしましょう。

●日本語の文章の結束性

これまで見てきたように，英語では書き手が代名詞やthe を使った言い換えを使いながら，話題をつないでいきます（このように，一つのテクストがまとまりをもつよう，言葉の選択によって統一性を生み出すことを「結束性 cohesion」といいます）。

もちろん，日本語にも「結束性」は存在します。ただし日本語には冠詞がないため，代名詞のほか，同じ言葉を反復する方法や，いちど登場した言葉を二度目は省略するという方法を使って結束性を生み出します。

以下は日本語で書かれた報道文ですが，「ブッシュ大統領」という言葉を反復したり，省略することで文章に統一感をもたせていることに注目してください。

　　<u>ブッシュ米大統領</u>は20日の記者会見で，タイム誌の「パーソン・オブ・ザ・イヤー（今年の人）」に選ばれたロシアのプーチン大統領に対し「10年後にどんな国になっているか」が問題だとして，公正な選挙や報道の自由が必要だと注文をつけた。
　　過去2回「今年の人」に選ばれている<u>ブッシュ大統領</u>は「『今年の人』の同窓会で彼に会うのが楽しみだ」と冗談を交えながら，ロシアをどういう方向に導くかがプーチン大統領に問われていると指摘。
　　人権擁護など「西側の価値観」を理解する国になるよう望んでいると述べ，プーチン氏が大統領退任後も，実質的にどんな役割を果たすのかを見守りたいと語った。

（共同通信，2007年12月21日）

英文では「ブッシュ大統領President Bush」をMr. Bush, he, the president, the Commander in Chiefなどと言い換えることができますが，これを日本語でそのまま「ブッシュ氏」「彼」「大統領」「最高司令官」と訳すと，上記の記事に見るような反復や省略に慣れている日本の読者には，結束性が弱い文章（統一感のない文章）と見えてしまうことを意識しましょう。

◆ 練習問題 ◆

1. 以下の文を，代名詞やtheを使った言い換えに注意しながら訳してください。

1) Shinto-style weddings have incorporated many elements from western-style wedding ceremonies. These include the giving of wedding rings and the exchanging of marriage vows. But <u>they</u> also include certain religious rituals.
2) Let us focus on baseball, football, and basketball because they are indigenous to us, i.e., invented in America, and central to <u>the country</u>'s enthusiasms.
3) Writer-director Martin McDonagh says he is not picking on Bruges. He explains the idea for this twisted movie grew out of his own visit to <u>the historic city</u>.
（Martin McDonagh：イギリスの脚本家・映画監督）
4) We climbed the Spanish Steps and were treated to a magnificent view of the entire city of Rome. As we watched the sunrise atop <u>the majestic steps</u>, any doubts, fears, or frustrations I harbored about this new experience were erased.

2. 実践編P133の雑誌記事 "How Working Moms Chip In Twice" を，theを使った言い換えに注意しながら訳してください。日本語の文章として，より統一感のあるものになるよう訳してみましょう。

VIII 英日のレトリック

● 言葉遊びとメタファー

新聞・雑誌記事などでは，例えば野球に関する記事であれば野球の用語，ITに関する記事であればIT用語などをもじった言葉遊びや語呂合わせを散りばめて，読者を楽しませようとします。この傾向が特に強いのは映画や音楽などの芸能関係，ファッション，美術，文学などに関する文化的な記事で，かなり翻訳の難易度が高くなります。

また日本でもそうですが，新聞・雑誌記事のタイトルには言葉遊びがよく登場します。例えばBowling for Big Bucks（クリケットに関する記事），Birth Dearth（少子化に関する記事）というふうに，韻を踏んだタイトルになったりしています。

また冗語pleonasmといい，同じ意味の言葉を重複して使うことがあります。二葉亭四迷も，「重複した余計のこと」を「音調の関係からもう一つ言い添えるということがある」と指摘し，日本語の「やたら無性」などもその一例と述べています（『余が翻訳の標準』）。例えばone and onlyには日本語に対応する冗語「唯一無二」がありますが，それ以外はgoals and objectives＝「目標」のように，ひとつにまとめてかまわないでしょう。ただし専門性の強い分野（法律や各種学問）では，こうした冗語が標準化されていることもあるので，慎重に訳語を選択してください（and/or, if and when, each and every, terms and conditionsなど）。

いずれにせよ，言葉遊びを見分けて，おかしな直訳にならないよう注意することが大切です。日本語に反映させるのが難しそうなら，無理に訳そうとせず，むしろ情報の内容をきちんと伝えることに集中しましょう。

● 日本語文の文末表現

日本語は情報を後ろに付加することができず，文末がいつも述語＋語尾となって単調となります。そのため，文末表現に変化をもたせることが，日本語

の文章におけるレトリック的なテクニックとなっています。

日本語の文末表現には「です・ます」調と「である」調があり，前者のほうが口語調でやわらかい印象，後者のほうがフォーマルでビジネスライクな印象があります。子どもを対象にした絵本などは，語りかけるような「です・ます」調が好まれますが，「です・ます」が長く続くとくどい感じがあるため，大人向けの長いテクストを訳すときなどは「である」調が好まれます。

「である」調で文末に変化をつけるには「である」「だ」「のである」「ている」などを，「です・ます」調で変化をつけるには「です」「ます」「なのです」などを使います。また日本語の文章では，過去に起きたことを現在形で表現することが珍しくないため，「である／だった」「です／でした」というように，現在形と過去形を交互に使って変化をつけることができます（もちろん，いくら日本語らしいレトリックを用いるためとはいえ，原文の時制をあまり大幅に変えるとかえってわかりにくい文章になるので，要注意です）。

◆ 練習問題 ◆

1. 以下の英文を，言葉遊びに注意しながら訳しましょう。

1) Prince Alwaleed is the first private buyer of the super-sized luxury plane, Airbus A-380, but Airbus officials say there may be 10 or 20 other people with the means and the desire to <u>raise conspicuous consumption to such heights</u>.
2) Amazon.com isn't used to being twisted until it cries out "uncle" and much less "Uncle Sam." However, an interesting battle is shaping up in New York, where the leading online retailer is locked in legal fisticuffs with the state's attempt to begin collecting state sales taxes.
（アマゾン族が神話上の女戦士であることに注意して）

2. 実践編 P136 の例題を，日本語の文末に変化をつけながら訳してみましょう。

IX トップダウンで読む

翻訳者にもとめられるのは，ネイティブ・リーダー並みの高度な読解力です。読解は，脳内で情報のボトムアップ処理とトップダウン処理が並行して行われるプロセスといわれます。読解力をつけるには，一語一語を辞書で調べる「ボトム（単語のレベル）」一辺倒のやり方から脱皮しなければなりません。一歩うしろに下がって，全体から細部を理解する，以下のようなトップダウン作業を並行しておこなってください。

① テクストのタイトルや見出し，添付された写真から，どんな内容かを予測する。
② 常識を働かせて，テクストが語る状況や場面をできるかぎり鮮明にイメージする。
③ そのテクスト・ジャンルに特有なディスコース・パターン（次章の「英文のライティング・スタイル」を参照）を意識する。
④ 内容をめぐる背景知識を十分に得てから読み始める。
⑤ テクスト内の前後の文脈（P57以下の「結束性」を参照）を意識する。

母語話者はどんなにスピーディーに読んでいるように見えても，「とばし読み」をしているのではありません。一つ一つの単語の意味を十分に理解したうえで，上記のようなさまざまな要素を照らし合わせてダイナミックに意味を引き出しているのです。母語話者でない私たちが翻訳をするときは，多少時間がかかってもよいから，そうしたダイナミックなプロセスに近づきたいものです。そして「うまく読み取れた」喜びを味わってください！

◆ 練習問題 ◆

実践編の課題文，ないし自分の好きな英文テクストを選び，上記の①〜⑤の要素を一つ一つ確認してみましょう。

X 英文のライティング・スタイル

英文のライティング・スタイルを理解することで，より正確な読解ができます。英語のテクストの多くはいわゆる「パラグラフ・ライティング（エッセイ・ライティング）」のルールに基づいています。新聞・雑誌，ビジネス文書など，社会人として出合う英文テクストの多くはこのスタイルで書かれているため，英文のスタイルを意識することは将来，仕事で翻訳を行っていくためには非常に大切です。

●パラグラフ・ライティング

パラグラフ・ライティングの構成

Introductory paragraph

　　（thesis statement（全体で一番いいたいことがこのパラグラフの最後に置かれる）

Discussion (1)

　　（パラグラフの要旨を書いたtopic sentenceが冒頭に，そのサポート（裏づけ）がそのあとに続く）

Discussion (2)

　　（Discussionの各パラグラフは，topic sentenceとそのサポート（裏づけ）からなる）
　　（それぞれのdiscussionはthesis statementをサポートするものでなければならない）

Discussion (3)

> Concluding paragraph
>
> （上記のdiscussionを踏まえたうえで，もう一度thesisを繰り返す）

パラグラフ・ライティングのルール

ルール1　Introduction – Discussion (Body) – Conclusionの3部構成。
ルール2　One paragraph, one topic（topicが変わったら改行する）
ルール3　Introductionの末尾にthesis statement（エッセイ全体のテーマ）が入る。
ルール4　discussionのパラグラフはtopic sentence＋サポート（topic sentenceの裏づけとなる事例や理由）という構成。
ルール5　パラグラフ内ではサポートがtopic sentenceを，エッセイ全体ではdiscussionがthesis statementを裏づけなければならない。
ルール6　結論はdiscussionでの議論を踏まえ，thesis statementをあらためて繰り返す。
ルール7　thesisやtopicからはずれる内容（irrelevant sentences）は書かない。

一方，日本語のライティング・スタイルは「起承転結」と言われます。パラグラフ・ライティングと異なり，結論は必ず最後に来ます。また，「起承転結」の「転」のような展開は，パラグラフ・ライティングでは「論理の飛躍logical leap」として厳に戒められています。

起
承
転
結

それでなくても，翻訳では細部に神経が集中し，大きな文章構造を見失いがちです。まして英文と日本語でこれほどライティング・スタイルが異なるの

ですから，どうしても英文の構成に無頓着になってしまうのです。日本語で文章を書くときもパラグラフ・ライティングの構成で書くなど，ふだんから英文のライティング・スタイルを身につけ，テクストの流れに沿った読解・訳出をしていけるようにしましょう。

●対比のパターン

英文のライティングによく使われるのが，「対比comparison and contrast」のレトリックです。パラグラフ同士（以下の例文），センテンス同士，あるいはセンテンスの一部同士が比較されているとき，最初の半分だけを読んで早とちりしがちです。このタイプのレトリックに慣れ，「このあとに比較の対象が出て来るな」とピンと来るようになることが大切です。

（アメリカにおける日本車の進出について）

Consumers are much less concerned about whether a brand is domestic or foreign; they worry about quality and price. Increasingly the issue of fuel consumption comes up. In times of skyrocketing gas prices, they don't want to be saddled with paying more for protecting manufacturers of U.S. origin. They often perceive non-domestic brands as having a higher reputation.

By comparison, public procurement has remained behind the times. For example, in spite of high quality and performance, we see very few police departments purchasing Volvo products, even though Ford acquired the Swedes in the last millennium. There seems to be lingering concern by local officials about a voter backlash.

(from "New auto jobs, not quotas," The Japan Times, Saturday, Feb. 4, 2006)

上記の例では，consumersとpublic procurementが対比され，それぞれの説明や実例がパラグラフ内で述べられています。

対比のパターンはもっと細かいセンテンス単位にも表れます。これをパラレル・コンストラクションparallel constructionと呼び，andやorで並列させ

たり，複数のアイテムをリストアップしたりします。

[パラレル・コンストラクションとリファレンス・ポイント]
また，from ... to ... のような対比にも注意が必要です。日本語の文章では始点だけを示して，終点を示さなくてもさほど違和感はありませんが，英文では始点があれば必ず終点を書かなければなりません。日本語の感覚でいると，比較の対象（reference point）に無頓着になりがちなので，気をつけましょう。

以下の2つの例は，A and BやfromA to Bで対比された2つの要素を，AはA，BはBと，ばらばらに訳してしまった例です。

This management model was imposing on the government a standard of intellectual property legislation and ensuring the long-term success of different local businesses lacking patent assistance.
　このマネジメント・モデルは政府に知的財産立法の基準を課しました。そして各種の地元企業の長期的成功を確実にすることは，特許の補助が欠如していました。

The diversity of local sports celebrations, ranging from surfboard competitions in Hawaii and California to NASCAR auto racing in South Carolina and Florida, seems limitless.
　地域の多彩なスポーツ祭典は，ハワイでのサーフボード・コンテストから多岐に広がっています。カリフォルニアからナスカーまでの自動車レースは，サウスカロライナとフロリダで無限にあるようです。

対比された2つの要素はどれとどれか，もういちど確認して，正しい訳に直してみてください。

[改善例]
　このマネジメント・モデルは政府に知的財産立法の基準を課し，特許の補助をもたない各種の地元企業の長期的成功を確実にしました。（imposingとensuringがパラレル）

　ハワイ州とカリフォルニア州のサーフィン・コンテストから，サウスカロライナ州とフロリダ州のナスカー自動車レースまで，地域のスポーツ祭典の多彩さは際限がないようです。（surfboard competitionsが起点，NASCAR auto racingが終点です）

〔相関語句〕
そのほかにも，not only ... but (also) ... や one ... the other ... など，セットになった相関語句にもアンテナを張って訳しましょう。

Proteins <u>not only</u> make up the structural bulk of the human body <u>but also</u> include the enzymes that carry out the biochemical reactions of life.
 タンパク質は人体の主要構造を作りあげているだけでなく，体内の生化学反応を引き起こす酵素も含んでいる。

Mission: SPACE stands out as <u>one</u> of only attractions to offer any thrill in Epcot Center, <u>the other</u> being Test Track.
 ミッション・スペースはエプコット・センターで興奮を与えてくれる数少ないアトラクションのひとつ。もうひとつはテスト・トラックだ。

◆練習問題◆

1. 実践編Ⅲ章の文章 Strife and Power in the New Middle East を，パラグラフ・ライティングのルールを意識して訳してみましょう。
2. 次の2つの文章を，パラグラフの対比に注意して訳してみましょう。

1) アメリカの自動車市場に関するP66の例文 (Consumers are much less concerned ...) を訳してください。

2) Age has taken its toll on Les Paul, the musician. The lingering effects of a car accident in the 1940s, and now arthritis cause pain in his hands and arms. While that forced this lifelong guitarist to learn a different method to play the guitar, it hasn't changed the outcome.

Nor has it changed Les Paul, the inventor. If anything, advanced age has inspired him. He can't hear as well as he used to, so his latest project is to fix the problem. "To make [a hearing aid] that is much more comfortable and much more satisfying is to make a better hearing aid, and that's what I am here to do," he declares.

3. 以下の文章を，パラレル・コンストラクションを意識して訳してみましょう。

1) The company is selling dozens of items, from bulk direct-mail postcards—"Got questions?" one reads, showing a picture of the Mona Lisa with a milk mustache—to color catalogues designed by famous artists.（from ... to ... に注意して）

2) Learning styles are determined by the talents and temperaments of the given students and by their plans and ambitions with regard to their post-university careers.（andによる対比）

3) Experts with the government investigation committee will carry out autopsies, examine medical records and interview people concerned to determine the causes of the deaths in hospitals.（andによる対比）

4) Once upon a time, being rich meant being rooted. A wealthy family would build a grand home in the city, have a second one for weekends in the country, then stock them with expensive art, fabrics, jewels and, of course, a staff to run them. They would belong to the best local clubs, frequent restaurants, and support the local symphony and museum.（リストアップの項目を意識して）

XI 日本語と英語のパンクチュエーション

点や丸などのパンクチュエーション（句読法）は，英文でも和文でもとても大切なものです。服装や身だしなみにきめ細かな気遣いが必要なように，文章もパンクチュエーションがきちんとしていないと，内容の信用性まで疑われてしまいます。翻訳では，原文（英文）のパンクチュエーションのルールを正しく理解するとともに，日本語の訳文でもきちんとしたパンクチュエーションを用いることが大切です。

● 読解にかかわる英文のパンクチュエーション

英文のパンクチュエーションを知らないために，誤訳につながることがあります。以下のポイントを覚えておきましょう。

①同格構文や挿入構文（P 47参照）で使われるカンマ（,）やダッシュ（−）は補足説明を表します。訳すときは，とりあえず挿入された部分をカッコやダッシュに入れ，あとから必要に応じてカッコやダッシュをとる方法を考えると良いでしょう。

Some Red Socks fans – there were young girls and boys – were yelling and crying outside the stadium.
（一部のレッドソックス・ファンは——そこには少年少女もいたが——スタジアムの外で泣いたり叫んだりしていた。→一部のレッドソックス・ファンは，少年少女も含め，スタジアムの外で泣いたり叫んだりしていた。）

②コロン（:）とセミコロン（;）は，おおまかに言って，コロンは「イコール」，セミコロンは「並列」と考えましょう。コロンは「つまり」「例えば」「なぜなら」など，セミコロンはandやbutに置き換えて「〜で」「〜だが」などでつなぎましょう。

New York City has three international airports: John F. Kennedy, La Guardia, and Newark.
ニューヨーク市には3つの国際空港があります。<u>つまり</u>ジョン・F・ケネディ，ラガーディア，ニューアークです。

Jim is a good typist; he makes few mistakes.
ジムはタイプが上手<u>なので</u>，ほとんどミスをしない。（セミコロンを and で置き換えて）

Jim is a good typist; he sometimes makes mistakes.
ジムはタイプが上手<u>だが</u>，ときどきミスをする。（セミコロンを but で置き換えて）

セミコロンはアイテムのリストアップ（P67）にも使われます（練習問題 3）を参照）

●日本語のパンクチュエーション

和文の句点（。）や読点（，）のルールは，英文ほど厳密ではありませんが，完成した訳文に読みやすいように読点（，）を入れることを忘れないでください（1行が40字ほどなら，1行に1箇所くらいの目安で読点を入れましょう）。

読点を入れる場所がわからないときは，意味を考えながら声に出して読んだとき，息継ぎをするところに入れるとよいでしょう（読点の詳しい打ち方については，本多勝一『日本語の作文技術』を参照）。

このほか，カタカナ語の書き方，句読点や引用符の使い方，送り仮名などについては，共同通信『記者ハンドブック』などを参照しましょう。

英文のセリフ部分（" "）は，日本語では「 」で訳すのが一般的です。またイタリックや引用符，大文字などで強調されている部分は，日本語では引用符（「 」や" "）で強調したり，傍点をつけたりして訳します（ワープロソフトを使う場合，傍点をつけるのはむずかしいかもしれません）。

文章の末尾に疑問符（？）や感嘆符（！）が来た場合は，そのあとをひとマス分あけます。

　アメリカ経済は持ち直すのか？　その答えは誰にもわからない。
　それが日本語か中国語かさえわからない！　でもとりあえず答えておいた。

新聞・雑誌などでは，カギカッコやカッコの内側に句点を入れないのがふつうです。

　○「われわれは子どものときからスポーツに親しんできた」
　×「われわれは子どものときからスポーツに親しんできた。」

同じく文末がカギカッコやカッコで終わったときは，句点（。）をカッコの外に入れます。

　目撃証言はたくさんあるが，専門家によると「この現象には説明がつかない」。
　ミズーリ州コロンビアではショー・ミー・ステート・ゲームという祭典が行われる（ショー・ミー・ステートはミズーリ州の愛称）。

ただしセリフだけで構成されるパラグラフでは，末尾に句点を入れません。

　「もちろん，国から補助金が出れば，贈賄などの不正が起きる可能性が出

て来る。自分から自己規制するようになって，何ごとも効率よく動かなくなる」

省略を示す「……」は3点リーダー（…）を2マス分並べます。中点（・）を複数並べて省略の記号にしている人がいますが，これは間違いです。

国から補助金が出れば，贈賄などの不正が起きる可能性が出て来る。……とはいえ，必ずしもそうなるとは限らない。

同じく，日本語のダッシュは全角ハイフン（―）を2マス分並べます。ただし日本語ではもともとダッシュはあまり使いませんので，必要に応じてダッシュをはずして訳すことも考えてください（P48参照）。

◆練習問題◆

以下の文を，コロン，セミコロンの機能を意識しながら訳しましょう。

1) We are not satisfied with the condominium: It has cracks in the walls and in the kitchen tile and there are places where the flooring is warped.
2) George thinks the party was successful; he is mistaken.
3) The new development boasts a faux-medieval citadel where, in the words of its glossy brochure, "musicians entertain and street artists add color to the surroundings"; an old town of pseudo-European shopping streets along a grand canal; a residential new town; a fishing village and marina on the banks of the Moscow River; plus suburban cottages around horse-filled paddocks and, of course, an area for large, secluded mansions. (Newsweek, May 15, 2006を一部修正)

基礎編
日英翻訳

Ⅰ　名詞の可算・不可算を理解する

Ⅱ　定冠詞・不定冠詞を使い分ける

Ⅲ　前置詞をマスターする

Ⅳ　長い修飾語の処理

Ⅴ　切れ目のない文の処理

Ⅵ　日本語に多い接続詞，副詞

Ⅶ　トピック型日本語から主語型英語へ

Ⅷ　英語らしい翻訳へ——無生物主語構文

Ⅸ　日英翻訳で陥りやすい罠

Ⅹ　形式や文化的表現

Ⅺ　日本語と英語で違う記号とルール

I　名詞の可算・不可算を理解する

入門編でも述べたとおり，英語を第二言語とする日本人翻訳者が英訳を手がける場合は，英語ネイティブの校正者が文法，表現などを合わせたチェックを行うのが原則です。実は，その際一番問題になるのが，冠詞および名詞の可算，不可算，および前置詞など基本文法におけるミスなのです。意外に思われるかもしれませんが，ベテラン翻訳者もその例外ではありません。I〜IIIでは，それらに焦点を当て，どうしてその分野を日本人の翻訳者や英語学習者が弱点にしているのか，間違いを少なくするためにはどのような概念を理解することが必要であるかについて解説していきます。

●可算，不可算の基本概念

名詞の可算，不可算に関しては，日本語には英語のようなはっきりとした表現上の区別がないため，日本人英語学習者にはむずかしいとつい諦めてしまう傾向があります。しかし，ここですんなり諦めてはいけません。実は，名詞の可算，不可算に関しては，我々がある物をどのように意味づけするか（専門用語で「認知」と言います）という考え方を取り入れると，比較的簡単に理解できます。

「りんご」を例にとった場合，英語では大きく分けて，apple（りんごの果肉），an apple（一個のりんご），apples（複数のりんご）の3つの形が考えられます。それらは，それぞれ，「数えることができない連続体」「数えることができる単一体」「数えることができる複数の単一体」を意味しています。この辺りまでは，実際に目に見える物を考えているので，比較的理解がやさしいと言えます。

ところが，日本人の翻訳者や英語学習者にとって最もむずかしいのは，いわゆる抽象名詞として扱われる名詞の数え方です。この目に見えない，概念的な分野に立ち入った途端，迷いや間違いが増えてきます。次の英字新聞からの一例で考えてみましょう。

　　Work creates wealth that creates jobs.

「仕事が富を生み，富が仕事を生む」という雇用の問題について言及している文です。workとjobという二つの語は厳密には意味や用法が違いますが，どちらも「仕事」という日本語に置き換えることが可能なため，混乱が起こることがあります。

辞書を見てみると，workは「仕事・労働」という意味のときは不可算で，可算で扱われるのは，「作品」「出版物」などだけです。一方，jobは可算の形しかありません。似たような意味を持つ名詞でも，一方は連続体としての抽象概念を主に表す名詞なのに対し，もう一方は個体として認識できる可算名詞であることがわかります。ネイティブスピーカーの頭の中までは推測できませんが，これらの二つの語は，おそらく彼らの頭の中では連続体と個体という認知的な区別がされていると思われます。

ただし，この例はまだある意味でわかりやすいのです。なぜなら，似たような意味を持つ名詞ですが，一つはほとんど不可算で使われ，もう一つは可算のみで使われるからです。

日本人の翻訳者や英語学習者にとって，いちばん理解しづらいのは，同じ一つの英語の名詞でも可算，不可算の両方があり，文脈によっては両方の使い方が可能な名詞です。

次の例を見てみましょう。

> スミス氏の会社とのビジネスは上手くいっている。
> We are doing good business with Mr. Smith's company.

> eパブリッシングは，最近特に流行っているビジネスの一つだ。
> e-publishing is one of the most popular businesses these days.

ご覧のように，最初の文のbusinessは抽象的な概念としてのビジネス（商売全体），二番目のbusinessesは個々に存在するビジネスを指しています。このように，可算，不可算両方の形を取りうるために，日本人には連続体か個体かの判断がむずかしい名詞はたくさんあります。それではどうしたらよいかということについて，次項で探っていきましょう。

●可算か不可算かで迷うとき

名詞の可算,不可算の基本的考え方は前項で学びました。しかし,ある名詞が可算で使われるのか,不可算で使われるのかを判断するには実際どうやって調べればよいのでしょうか。例えば,次の文を見てみましょう。

　暴力や憎しみに満ちた世界に,我々は果たして希望を見出せるだろうか?
Can we ever find hope in a world full of violence and feelings of hatred?

この文脈でのhopeは抽象概念の「希望」を意味し,無冠詞で大丈夫です。しかし,やや不安な場合は,まず辞書を引いてみます。すると,「希望」「望み」という意味の名詞のhopeには【UC】というマークがついています。これは,可算,不可算両方存在することを示していますが,通常,最初に書いてあるほうが用法として多いのです。「希望」「望み」という意味のhopeの場合,Uが先でCがあとですから,不可算で扱うケースが多いことがわかります。

それでもまだ不安であれば,入門で習ったように,find hopeという組み合わせをグーグルなどの検索機能を使って調べてみましょう。たくさんの用例が出てきます。これで,この使い方がほぼ間違いないということがわかります。

ただし,さらに辞書を見ていきますと,同じ名詞のhopeでも,「見込み」「期待」という意味の場合,マークは【CU】になっています。つまり,可算の用法が不可算を上回っているということです。例えば,可算として使われている例としては,次のような例文があります。

　大統領は,次の六者会談に期待している。
The president sets his hopes on the next six-party talks.

個体として扱うか,連続体として扱うかは,上記の抽象名詞のような場合は,文脈や慣用的な要素も大きく関係するので,絶対にこの形しかないと言い切ることはできません。ただし,翻訳者にとって重要なのは,どれが一番典型的な形かを知るということです。そういう意味で,辞書やグーグルの検索は役に立ちます。そのような検索に関しては,英語ネイティブではない人のサイトもたくさんあるため注意が必要ですが,さまざまな用例を見ることにより,大体の傾向を知ることができます。辞書で単語の可算,不可算を確認し

てから参考に用例を見るという意味では，グーグルなどの検索機能は役に立ちますので大いに活用してください。

●チェックすべき不可算名詞

実は，ほとんどの名詞は可算，不可算の形を持っています。ということは100％不可算の名詞または，ほとんどの用法で不可算の名詞は少ないということで，これは翻訳者や英語学習者にとっては便利です。そのような形のものだけ覚えておけばよいからです。

学校英文法では，information, advice, furniture, equipmentなどは不可算と習いました。これらはネイティブの頭の中では連続体と捉えられている名詞で，通常不可算です。実は翻訳に携わっていると，上記の例だけでなく，他にも不可算の名詞に遭遇します。次の例を見てみます。

　本大学では，eラーニング用のソフトを開発している。
　The University is developing software for e-learning education.

softwareは集合的な意味を持つ名詞で無冠詞です。あまり多くはないのですが，数えない名詞の一つです。最近，翻訳ではIT関連の仕事も増えてきているので，hardwareとともに要注意です（ただし，network, systemなどは，日本語化しているために日本人の文章によく出てきますが，数えることのできる名詞なので注意しましょう）。

　（注）emailのように，以前は集合的で不可算だったものが最近では可算で使われる例もあります。時代の変化とともに可算，不可算の用法が変化することもありますので，常に注意は必要です。

また，単語の中には前述のworkのように，主たる意味においては不可算のものが結構あります。例えば，翻訳のジャンルの一つとして法律分野がありますが，いくつかの単語は圧倒的に不可算で使われますので予めチェックしておきましょう。以下は，著作権文書の中の一文です。

　以下の文書に使われている図表は，著者の許可がない限り，二次使用は許可しない。
　The charts and figures in the following document should not be reused, unless permission from the author is obtained.

permissionという語は,「許可証」という意味以外は必ず無冠詞です。「証拠」という意味でのproof, evidenceも不可算ですし, testimonyも不可算で使われることが多いので注意しましょう。

不可算の形しかない名詞に関しては,はっきり言って,その種類を覚えるしかないのですが,英語の新聞や雑誌を読む際に,どの名詞がどのような文脈で無冠詞になっているかなどを常にチェックすることによって,段々と身につけることが可能です。英字新聞を読む際に,このような点を意識しながらマーカーでチェックを入れて読む癖をつけると,英字新聞を読む楽しみも倍増します。

◆練習問題◆

次の語彙に関して,可算,不可算の両方の意味と使い方を辞書で確かめ,それぞれの例文を探してみましょう。

1) education
2) history
3) culture

II 定冠詞・不定冠詞を使い分ける

次にとりあげるのは,日本人の翻訳者や英語学習者がもっとも悩む定冠詞のtheの問題です。校正前の翻訳原稿を見ると,必要のない箇所に定冠詞のtheをつけている例が目立ちます。不思議なことに,この間違いは英語力が比較的高い人に意外と多いのです。残念ながら,どのような場合に定冠詞のtheが必要かという基本概念がしっかりと身についていないことが原因のようです。

●定冠詞theの基本概念

英文の中で定冠詞を使用する根拠としては,問題となっている名詞に関して,

話者と聞き手がその情報を共有しているかどうかということが前提になります。共有という概念に関しては，次の3つの共有の仕方があります。まず，最初は常識として共有されている一般知識で，the world, the sun, the earthなどがそれにあたります。二番目は，指示されることで共有される知識で，目の前にあるものを指して，Look at the picture here.というような場合がそれにあたります。最後は，前後の文脈により，話者と聞き手に知識が共有される場合です。このグループに含まれるのは，先行の文脈にすでに新情報として現れており既知の名詞としてtheがつく場合，前置詞＋名詞や関係詞節により後ろから文脈的に限定されている場合です。次項で，実際にはどういうミスが多いのか，またその原因は何かを探っていきましょう。

●新情報の名詞にtheは必要ない

次の文は，実際に目にした誤訳例です。

> 今日，大学はさまざまな問題に直面している。
> ✕ Today, the universities are facing various problems.

上記の文は，あるまとまった文章の最初のセンテンスです。翻訳者はあたかも特定の大学を指しているかのようにuniversitiesにtheをつけています。前の文章ですでに言及されているか，前置詞をともなった名詞や関係詞節で後ろから限定されていれば話は別です（例：the universities (that were) founded in '70s）。しかし，上記のuniversitiesは非限定的で一般性が高く，定冠詞を伴う必要はありません。

theをつける理由の一つに，話者と聞き手が問題の名詞について知識を共有しているという条件があります。会話文や小説の冒頭にいきなりtheのついた名詞が登場する例外はありますが，上記の文が登場するのはれっきとした学術文書の冒頭です。theをつける理由はありません。

●抽象名詞とthe

可算，不可算のところでも述べましたが，日本人翻訳者，英語学習者は，ある名詞が抽象名詞として扱われる場合，その取り扱いに苦労します。その原因は，ある名詞が抽象概念として捉えられるときは無冠詞でよいという原則

が概念として馴染みにくいのだろうと推測します。結局，何もない状態が落ち着かず，文脈的には不必要なtheをあちらこちらに使ってしまう結果になります。

次は，翻訳者や英語学習者に比較的多い誤訳例です。

> 我々はみな，社会に貢献すべきだ。
> × We should all contribute to the society.

societyという名詞は，一般には「社会」という日本語に相当します。ところがこの「社会」という日本語を和英の辞書で調べると，society, communityの両方が登場するのです。後者のcommunityは個体として捉えることが可能な可算名詞なのに対し，前者のsocietyは，世間一般という意味で捉えられている連続体の抽象名詞と，一つの目的を持って集まっている集合体，共同体（例：a medical society）というcommunityに近い意味での可算名詞の形の両方があります。

上記の文では，世間一般の漠然とした社会を指しているので，冠詞をつける必要がありません。ここにtheをつける人は，the worldのように常識として定冠詞がつくものと混同しているか，または「我々の住んでいる社会」というように具体的な意味合いを連想してtheをつけているかのどちらかだと思いますが，後者の場合も英語的には不自然です。

重要なのは，英語と日本語では意味がきちんと対応しているものもあれば，一部は意味を共有しているが，他は意味を共有していないものもたくさんあるので注意が必要だということです。特に，「社会」という表現は日本人の文章に頻繁に登場するので，どういう意味で使われているかに注意してください。

以下のような使い方が正しい用法です。

> この試みは，社会に大きな影響を与えるだろう。
> This attempt will have a big impact on society.

●より具象化されたsocietyには不定冠詞が必要

前項の例文では、文脈的に冠詞は必要ありませんでした。societyが抽象概念として使われていたからです。しかし、同じsocietyでも次のような場合はどうでしょうか？

我々はみな、サステイナブルな社会に住むことを望んでいる。
We want to live in (　) sustainable society.

（注）サステイナブルとは「持続可能な」という意味。将来の環境や次世代の利益を損なわない範囲で社会発展を進めようとする理念。

(　) の中の答えは不定冠詞のaです。上記の文のsocietyは、無冠詞のときのsocietyに比べると、sustainable（持続可能な）という形容詞がつくことにより、どのような社会なのか描写が具体的になっているため、いくつも考えうる違う種類のsocietyの中の一つと考えます。（例えば、他には、an eco-friendly societyとか、a peace-loving societyとかが考えられます）。このように対象となるものの具体性が増すと、抽象から具象へ、連続体から個体へと、ネイティブの頭の中では概念がシフトしていくと思われます。

次の例も同じように、抽象から具象にシフトする例です。

環境は、子育てにとても重要である。
Environment is a key factor in raising children.

子どものために、良い学習環境を与えることは重要だ。
It is important to provide a good educational environment for children.

前者のenvironmentが抽象的な連続体の「環境」を表しているのに対し、後者のenvironmentはいくつもあるうちの、ある一つの具体的な環境を指しています。「社会」や「環境」は、個体として捉え得るということが日本人にはややむずかしいとも言えますが、英語の特徴として理解するより他によい方法はありません。

（注）environmentが自然環境を指す場合は、the environmentのように定冠詞がつく。

●関係詞節と冠詞

次に,形容詞ではなく,関係詞節によって修飾されている例を見てみます。以下の文の( )には,どのような冠詞が入るでしょうか？

ガン撲滅の戦いを支援するネットワークが必要だ。
We must build ( ) network that supports the fight against cancer.

答えは,不定冠詞のaです。日本人の英語学習者は,関係詞節で後ろから限定されていると,つい定冠詞のtheを入れたくなります。なぜか学校で習う例にそのような例が多かったからだと推測します。

では,ここではどうしてtheではなくaなのかという問題になりますが,それは,話者と聞き手の間で,話者が指しているnetworkの具象性が,theがつくときほど高くないからなのです。というとむずかしい話になりますが,a sustainable societyのときと同じように,何個か複数ある中の,ある一つのnetworkを指しているのであって,話者と聞き手が共有知識として理解している,たった一つの特定されたnetworkではないからです。それは,次の文と比較することで一層はっきりします。

このネットワークこそ,日本のガン患者たちが,その設立を長い間望んでいたものである。
This is the network that Japanese cancer patients have been trying to build for a long time.

上記の文では,聞き手である我々が具体的にそのネットワークについて知ることはないものの,そのようなネットワークが実際に存在するという知識を話者と共有していることから具象性が強まり,定冠詞のtheを伴うと考えます。

次の例も,同じように考えれば簡単です。二つの例文を比べてみましょう。

そのグループは,日本文化をさらに学びたいと思っている人々のために月に一回会合を開いている。
The group holds monthly meetings for people who are interested in learning more about Japanese culture.

我々は，これらのすばらしい寺院を設計，建設した人々を偉大だと思う。
We admire the people who designed and built these great cathedrals.

最初の文では，関係詞節で修飾されていても，peopleは無冠詞になっています。これは本文脈で問題になっているpeopleの具象性が低く，不特定の幅広い一般的な人々を指しているからです。次の文では，寺院は実在し，the peopleは具体的に寺院を設計，建設した人々を指していることを話者も聞き手も了解しています。このように対象となっているものについての知識を話者と聞き手が共有していると考えられるときは迷わずtheをつけて構いません。

つまり，関係詞節で修飾されていても，形容詞で修飾されていても，基本は対象となる名詞が文脈的に強く限定され，話者と聞き手の共通の知識として提示されているかどうかが判断の鍵となります。

●some countriesとsome of the countriesは違う

余分なtheと言えば，次のような訳例をよく見かけます。

　Some of the countries are tackling cancer prevention quite effectively.

文法上は問題ないのですが，原文を見ると，「ガン撲滅対策を有効に実行している国はいくつかある」となっています。Some of the countriesとすると，「ある（特定の）国々の中のいくつかは」という意味になり，必要がないのにそれらの国々を特定するような印象を与えます。

日本人英語学習者の中には，この二つを混同している人が多く，よく考えずにtheを使うケースがあるので注意しましょう。例えば，「ほとんどの生徒が，この地域の公立学校に行きます」という文を訳す場合，特定の学生グループを指していない場合は(1)でなく(2)の訳例が正しいのです。

　(1) Most of the students go to public schools in this area.

　(2) Most students go to public schools in this area.

しかし，上記の例のように，あまり考えないでtheを不必要な場所に入れる癖は日本人の英語学習者全般にある傾向です。someとsome of the, mostとmost of theなど，それらは一見似ていても，意味が違うということを注意しながら翻訳しましょう。

● 固有名詞とthe

固有名詞または，固有名詞＋一般名詞の冠詞の問題ですが，これはだいたいのルールはあるとはいえ，ほとんど無法地帯で例外が多いため一つ一つ覚えるしかありまえん。冠詞を詳しく解説した本をよく読むか，辞書でいちいちチェックする必要があります。

一般的には，固有名詞が一般名詞をともなうとtheがつくと言われており，歌舞伎座やプリンスホテルは，それぞれThe Kabuki Theater, The Prince Hotelです。しかし，品川駅や青山通りは，それぞれShinagawa Station, Aoyama Streetというように無冠詞です。理由はよくわかりませんが，駅名や通りの名前はより固有名詞化しているためでしょう。

英訳に頻繁に出て来る言葉としては，Western cultureやJapanese historyがありますが，これらも通常，無冠詞です。一方，the Japanese economyは定冠詞のtheがつきます。

固有名詞または，固有名詞＋一般名詞につく定冠詞について解説している本はいくつかありますので，わからないときはそれらを参照しましょう。しかし，実際，例外はたくさんあります。迷ったときにはすぐに辞書で確かめる，またはグーグルなどで検索して確かめることをお勧めします。

● その他覚えておくと便利な冠詞の使い方

冠詞に関しては，理由はさまざまですが，その使い方がほぼ決まっているものがあります。慣用的なものもありますが，多くは，前述した連続体か個体かの区別，知識を話者と聞き手が共有しているかどうかが，その理由です。ここでは一つ一つ解説することはできませんが，とりあえず，次のようなものは冠詞のルールが一応決まっていると覚えておいてください。

①定冠詞のtheが常につくケース

This is the only place where her handmade designs are available.

500 monkeys were imported to Tokyo around the same time.

The Emperor passed away the following month.

Is war the right option?

Political terrorism was rampant in Japan during the early 1930s.

In the past few years, I haven't smoked even a single cigarette.

The 22-year-old Miyazato is a 12-time champion on the Japanese golf tour.

②不定冠詞はこんなときにも使われる

The family takes a one-month vacation.

The book sold a record 2.7 million copies across the country.

A smiling Ichiro Suzuki talked at the interview through an interpreter.

The French prime minister wants a Europe that is a credible player on the world stage.

③こんなケースは無冠詞になる

The police drama rose to third place.

As finance minister, he spoke with the delegates from Arab countries.

Tom was successful in making a career move from IT manager to international lawyer.

◆練習問題◆

以下の文の（ ）の中に定冠詞, 不定冠詞, 無冠詞の場合は×を入れてください。

1) Such government's efforts offer hope for (　) environment.
2) Japanese architecture has (　) long history itself.

3) Our project aims at helping (　　) people who need clean water development technology.
4) I had (　　) amazing experience.
5) Japanese are educated to work with (　　) diligence.
6) Phillip Gordon is responsible for (　　) graduate and undergraduate education.
7) The LDP suffered (　　) crushing defeat in the Upper House election.
8) Baby-boomers are seriously thinking about their lives after (　　) retirement.
9) We are going to change (　　) present society that is not generous to the poor into (　　) society that shows compassion for all of its members.
10) The politician may be too old-fashioned for (　　) modern digital age.
11) He is (　　) 23-year-old engineering student from California and ate (　　) world-record 66 hot dogs in 12 minutes.
12) It won eight Grammy awards (　　) following year and has sold more than 5.5 million copies worldwide.
13) All the executives will receive (　　) 30 percent pay cut for five months.
14) Many Japanese seniors grew up in (　　) culture that valued handwriting rather than typing.

III 前置詞をマスターする

ここでは、前置詞について少しだけ触れたいと思います。冠詞と同様、前置詞も不得意だと思っている翻訳者、日本人英語学習者は多いですが、その間違いは冠詞や数ほどではありません。一定のルールに従えば、ほぼ間違いなく制覇できますので、ここではいくつか押さえておきたいポイントを紹介します。

● 漠然と場を表すat

次の文の(　)内には、どういう前置詞が入るでしょうか？

基礎編 | 日英翻訳

　　チャールズ・オースティンは，テキサス大学で経済学を勉強した。
　Charles Austin studied economics (　) the University of Texas.

ここにatをすぐに入れる人は，自然な英語が身についている人です。なぜこの問題を取り上げたかたというと，同じく場所を表す前置詞のinではだめかという質問があったり，inとatの使い方の違いがわからないという人が多いからです。

inは主に空間として囲まれた範囲を示します。テキサス大学（という漠然とした場）で勉強したという場合は，atがより自然な選択です。inを使う場合としては，下記のような例があります。

　　ジョンは，今，大学図書館の中で働いているよ。
　You will find John working in the university library right now.

上記の文は，ジョンが大学図書館という壁で囲まれた一つの建物内で働いているという具体的なニュアンスがあります。この文でもatを使うことは可能ですが，その場合は囲まれた有限的な場所を指すというよりは，大学図書館という漠然とした場所を指します。

　　（注）なお，「キャンパスで」と言う時はonが使われます。
　　UCLAのキャンパスにはアジア系の学生がたくさんいる。
　You can find a lot of Asian students on the UCLA campus.

さらに，住所やウェブサイトのアドレスに言及するときもatを使います。一つの場所として，サイトや住所を考えているからです。

　　以下の住所に本をお送りください。
　Please send me the book at the following address.

　　我々のウェブサイトは，次のURLで見ることができます。
　You may want to visit our website at the following URL.

最後に，よく見る誤用の例として，(×) Dr. Yamada is a professor of the University of Tokyo.（山田先生は東京大学の教授です）というのがあります。

87

professorに不定冠詞のaがつき，東京大学に何人もいる教授の一人という時はatを使います。山田先生が東京大学の物理学の教授の一人である場合は，He is a professor of physics at the University of Tokyo. と書きます。

●「名詞＋of＋名詞」「形容詞＋of＋名詞」

日本語では，「〜の」と直接言わず「〜について」（例：「アジア文化について の理解」）という表現をよく使います。深く考えないで，ついaboutという前置詞を使ってしまいがちですが，以下の名詞の場合は，後にof＋名詞が来て名詞句のような形で扱うのが一般的です。

The lecture will enhance our <u>understanding of Asian culture</u>.

The students have a lot of <u>knowledge of Japanese history</u>.

People do not have enough <u>awareness of the importance of adequate exercise</u>.

同じく形容詞でも，**of＋名詞**があとに来るものがあります。覚えておきましょう。

People are <u>suspicious of the new mayor</u>.

We should be <u>conscious of both health and beauty</u>.

The generous use of olive oil is <u>typical of Italian cuisine</u>

●「名詞＋to＋名詞(句)」

次の例文の名詞は，**to＋名詞**（または名詞句）があとにきます。これらは慣用的な用法として覚えておきましょう。

It's easy to find some <u>clues to solving this problem</u>.

There are some <u>keys to writing good English</u>.

This year, I will take <u>Introduction to Physics</u> at the university.

　（注）なお，形容詞や動詞にも，toを取るものがあるので注意しましょう。（例：

These mistakes are common to Japanese learners of English. Jane applied to several colleges.)

●byとthroughの使い分け

日本語では、「〜により」「〜で」という表現が多いため、つい受け身文以外でもbyの使用が多くなります。byというのは、もともと「〜に近接して」「〜に拠って」という意味の前置詞で、よく使われるのは、手段（例：go by car）、受け身文の行為者（例：written by him）を表すときです。一方、throughという前置詞は、「ある方法を通じて」「ある活動を成し終えて」という意味があります。

次の文は理系の翻訳からの一例です。「〜で」と聞くと、つい by を使う人が多いですが、この場合は through を使うのが正解です。

　顕微鏡で、いくつかの遺伝子が観察された。
Some genes were observed through an electron microscope.

また、意味的に、byではなくthroughや他の表現の方が文脈的に適格な場合もあります。

　加盟国の一致団結の努力により、国際協力を強化することが重要である。
It is important to enhance international cooperation through the concerted efforts of all member nations.

上記の文では、「一致団結の努力を通じて、国際協力を強化することが可能だ」と考えると、throughを使うのが自然です。

　バイオ医学は、最近の技術革新により、急速な進歩を遂げている。
Biomedicine has made rapid progress, thanks to recent technological advances.

●余計な前置詞を入れない

さらに気をつけたいのは、直接目的語をとる他動詞として使われているのに

要らない前置詞をつけてしまうケースです。以下の例では，contactのあとにwithをつい入れてしまう人がいますが，それはおそらく，「～さんとコンタクトをとる」という日本語の影響があるからだと推測します。この文ではcontactは直接目的語がとれる他動詞ですので，余計な前置詞を入れないように気をつけましょう。

　　予防接種については，日本大使館にお問合せください。
　Please contact the Japanese Embassy about immunization.

access, attend（「出席する」という意味の場合）などの動詞も「～に」という日本語の助詞に影響されぬよう扱うことがポイントです。

◆練習問題◆

以下の文の（　）の中に適当と思われる前置詞を入れてください。

1) Those signals are transmitted (　) high speed.
2) This is a feature common (　) many animals.
3) I used to write my reports (　) my word processor.
4) No legitimate company will ever ask you to confirm your password (　) e-mail.
5) He is a professor (　) applied linguistics (　) Edinburgh University.
6) Please visit the following website (　) more information.
7) Mexican children get tamales (　) Christmas.

IV　長い修飾語の処理

日本語は英語と違い，名詞の前に長い修飾語（または修飾文）が来ることが可能です。会話ではそれほどでもありませんが，文章では限りなくいくつもの修飾語がつき，翻訳者はいったいどうやって訳したらよいのか途方に暮れることも少なくありません。

そんな時すぐ思いつくのが，whichやthatなどの関係代名詞を使う手法ですが，関係詞節を含む文は重たい印象を与え，簡潔ですっきりした文にはならないことがあります。実は，関係代名詞に頼らなくても，複雑な日本語を簡潔で理解しやすい英語に変える方法があります。ここでは，それらのテクニックをいくつか紹介します。

● 原文を意味単位で分解，組み立て直す

次の例は，製品の広告文です。「〜の」「〜な」などの修飾語がついていますが，どうしたら簡潔でわかりやすい訳になるでしょうか。

> これは，ビジネスパーソン向けの画期的な英語リスニング教材です。

上記の文の場合，この文を述べた人は次のことを言いたいのです。この教材は，「ビジネスパーソン向けである」「英語のリスニング力を強化する」「画期的である」。このようにたくさんの修飾語がつく場合は，意味単位に基づいて文を分解すると訳しやすくなります。「画期的である」の部分は副詞を使い，以下のように2つの文に分けて訳すとすっきりした文になります。

> This is an educational tool for business people. It will dramatically improve your English listening ability.

初心者は，このように意味単位で原文を分け，それから訳すようにすると楽に訳せます。

次の文のように修飾語が長い場合も，同じように2つに分けて訳すとすっきり訳せます。

> 本大学は2008年6月15日，過去の教育用テレビ番組の映像を利用した教育支援ソフトを公開した。

まず日本語を2文にしてみます。

本大学は2008年6月15日，教育支援ソフトを公開した。そのソフトは，過去の教育用テレビ番組の映像を利用している。

それを英訳してみると，次のようになります。

The University presented its new learning-assistance software to the press on June 15, 2008. <u>The</u> software uses previously-broadcast TV programs for educational purposes.

上記の二つ目の文のsoftwareにtheがついていることに注目してください。英語の定冠詞には，このように前の文との関係をしっかりと関連づける機能が備わっています（英日の基礎編P57参照）。

次は，前置詞を利用したり，思い切った意訳で切り抜ける方法で，企業広告などリズムや雰囲気が重要な翻訳でよく使う手法です。

グローバルな事業と優れた製品で世界をリードするABC電器は，国際的に活躍できる人材を求めています。

関係代名詞を使って訳すこともできますが，主語が長くなり重たい印象になります。まず，文章が長いので，意味単位で元の文を分解してみましょう。例文を分解すると次のようになります。

ABC電器は，グローバルな事業と優れた製品で世界をリードしています。
（ABC電器は）国際的に活躍できる人材を求めています。

それを英語にしてみます。

ABC Electric Industry Company is leading the world with its extensive overseas businesses and excellent products. We are looking for people who can contribute to our global operations.

2つの文にすることで，この広告文の主旨が一層はっきりします。
もっと短く，簡単にする方法もあります。次のように，直訳せず，思い切っ

て別の表現に意訳する方法です。ABC電器が人々に知られている世界的なメーカーである場合は，以下のように，思い切った訳にすることもできます。

> As a world-class manufacturer and business leader, ABC Electric Industry Company is looking for people who can contribute to our global operations.

これでかなりすっきりしました。どのような英文に訳すかは，紙面の制限やクライアントの意図とも関係します。広告文では雰囲気を伝えることも重要なので，情報を正確に伝えることに加え，文のリズムや語呂なども考慮して訳します。

● 非制限用法の関係詞を使う方法

これまで，原文の日本語を出来るだけ意味単位で分解し，2センテンス以上の文に訳出することを勧めてきましたが，関係代名詞，関係副詞を使う文をよくないと言っているわけではありません。むしろ，日英翻訳ではこれらの使用は圧倒的に多いのです。

問題は，関係詞を使うと一文が長くなる，その結果，文の構造が複雑になり，読者の理解に多少の遅延が生じるということです。それを解決するためには，先行詞のあとにカンマを置き，そのあとに関係詞節を続ける非制限用法の関係詞文が有効です。以下の文を例にとって考えて見ましょう。

> 友田ゴルフカントリークラブは，エグゼクティブをはじめ各界の著名人の方々にプライバシーを大切にした一流の雰囲気の中でゴルフを楽しんでいただくことを目的にしております。

> Tomoda Golf and Country Club provides a sophisticated venue, where senior executive and celebrities in various fields can enjoy playing golf in privacy and in an exclusive atmosphere.

上記のような非制限用法の関係詞の使用は，読者が前に戻らずに読み進めることができ，文の論理構造もよりはっきりする意味で効率的と言えるでしょ

う。このような使い方は英字新聞などでよく見かけます。

●ハイフンの使用

日本語は修飾語が長いことは前に述べましたが，英語でも新聞や会社資料などでは，スペースを節約し，なるべく情報を早く読者に伝えるために，修飾語を名詞の前に持って来ることがあります。それに有効なのがハイフンです。ハイフンでたくさんの言葉をつなぎすぎたり，むやみにこの技法を使うことはお勧めできませんが，一つのテクニックとして覚えておくと便利かもしれません。

ハイフンのつなぎ方の例をいくつか見てみましょう。

the two-day symposium	2日間のシンポジウム
a five-year plan	5ヵ年プラン (a five year plan とハイフンなしで書くこともある)
the 22-year-old golfer	22歳のプロゴルファー

（注）上記の例は，フレーズの中に日数，年数，年齢が含まれています。このような形になると，day, year は名詞にかかる修飾語の役目をしているので，複数形にならないことに注意してください。

下記のような例文も参考にしてみましょう。

センターは，会議，研修，宿泊を<u>リゾートの中のような雰囲気</u>で行える環境を整えています。
The Center offers a combination of facilities for conferences, training and lodging in <u>a resort-like setting</u>.

<u>理想のリサイクル型社会</u>の構築には，驚くべきたくさんの技術が必要です。
The fabrication of <u>an ideal recycling-oriented society</u> will require an astounding variety of technologies.

<u>(その方法を使うと)</u>情報が簡単に得られるということは，学生に努力なしに簡単に出来てしまうという安易な気持ちを持たせる危険性がある。

There is concern that such <u>an easy-to-get-information approach</u> might cause the students to feel that they can obtain information easily without any difficulty.

上記のような表現は，初心者が自分で作るのはむずかしいかもしれません。英字新聞に頻繁に出てきますので，普段から，どのような使い方があるかチェックして参考にするのがよいと思います。

◆練習問題◆

長い修飾語のついた下線部をどう分解して処理したらよいかを考えながら，以下の例文を訳してみましょう。

1) <u>子育て中のワーキングペアレンツの最大の悩み</u>は，子どもの突発的な病気です。
2) <u>高い専門知識を持つ不動産プロフェッショナル</u>が皆さまのご相談，ご質問に的確なアドバイスをさせていただきます。
3) <u>去る7月24日に発表いたしました第1四半期決算の内容</u>をタイムリーにご報告させていただくため，この四半期レポートをお送りいたします。

V　切れ目のない文の処理

日本語は不思議な言語で，接続助詞をたくみに使いながらセンテンスを延々とつないでいっても，それはそれで理解されるという特徴があります。ところが，それを英語に直訳すると，構造的に複雑過ぎて何を言っているのかわかりづらくなる恐れがあります。ここではさまざまな方法を使ってわかりやすい訳文にしてみましょう。

●「〜が」「〜けれども」でつながる文章に注意

次の例文を訳してみましょう。

> 最近，団塊の世代がじょじょに定年を迎えていますが，彼らの多くは自分自身の自由な時間を楽しみたいと思っています。

以下はある学生さんの訳です。

> A lot of baby boomers are retiring these days, <u>but</u> most of them want to enjoy time for themselves.

一見，問題がないようにも見えます。しかし，アンダーラインの接続詞は本当に必要でしょうか？「しかし」という意味のbutを挿入した場合，「団塊の世代は仕事をし続けたいと思っているように見えるが，実はそうではなくて，自分自身ための時間を楽しみたいと思っている」という先入観が入っているように聞こえます。原文の日本語は特にそれを強調しているわけではありませんし，余暇や自由な時間を楽しむ欧米人には論理的に理解不能でしょう。ですから，ここに対立や対比の要素を含むbutをどうしても入れなければならない理由はありません。

日本語の「が」は多くの場合，単なるつなぎの接続助詞で深い意味はありません。前文との対立関係があるときもありますが，上記の場合は単なる並列文です。そのような時は，以下のように，無理に英語の接続詞を使わないほうがわかりやすい英文になります。

> A lot of baby boomers are retiring these days. <u>Most of them</u> want to enjoy time for themselves.

上記の文では，Most of themはMost of the baby boomersを指しています。これにより前文との関係ははっきりしていますから，無理に英語の接続詞（but, and, so）を入れる必要ありません。

「〜が」や「〜けれども」などの接続助詞が頻繁に使われる日本語では，並列して続く文と文の間に何もないと，日本語のネイティブスピーカーはやや居心地の悪さを感じます。一方，英語では，特に論理的に必要でない限り，そのようなことはありません。日本語でも英語でもすっきりした文章のほうが

わかりやすいですから，余計な接続詞は無理に入れず，シンプルな英文を作るほうがよいでしょう。

●カンマを使って文を挿入する

次の例文を訳してみましょう。

> デモンストレーション講義では，学生16名が3つのグループに分かれ，与えられたテーマに沿った映像を視聴し，自分たちの考えを図にまとめるという流れになる。

上記の文章は，時系列で並べられたごく標準的な日本語の文です。しかし，andでただつなぐだけでは冗長でセンスのない訳文になってしまいそうです。そこで次のような英文を考えます。

> In the demonstration lecture, sixteen students, divided into three groups, were directed to watch a video on the given theme and to summarize their ideas in visual form.

ポイントは，カンマを使い，挿入文としてdivided into three groupsを入れたこと。これで相当すっきりした英文になります。

●文を途中で切り，意味がわかりやすいようアレンジする

次の文は，切れ目なく続く日本語の特徴がよく出た文です。一つの連続した文章の中に，いくつもの文単位が入っており，それらはさまざまな助詞や接続助詞を借りて連続しています。

> 最近インターネットを介した授業受講が普及してきたことを契機に，少子化や大学院教育を受ける社会人の増加を背景として，多くの大学が社会人学生に対する学習支援を目的にeラーニングサイトの構築に乗り出している。

上記の文は構造が複雑でそのまま訳すのはかなりむずかしいと言えます。この文章が主に言いたいのは，最後の「多くの大学がeラーニングサイトの構築に乗り出している」ということですが，その前に，「〜に」「〜て」「〜に」などの助詞によってつながれた3つの文が理由や目的を説明しています。

一つは「インターネットを介した授業受講が普及してきた」，二つ目は「少子化と社会人の大学院生の増大」，三つ目は「社会人の学習支援が目的である」とういうことです。

この文章の場合，必ずしも日本語の順番どおりに訳す必要はありません。結論があとに来ることが多い日本語に対し，英語ではまず言いたいことを先に述べることが多いので，ここでは結論を先に持ってきて，理由や目的をあとから加えてみましょう。

> Many universities in Japan have recently begun setting up e-leaning websites <u>to meet the need of *shakaijin gakusei* (returning adult learners) who seek more leaning opportunities</u>.

残りの一つ目と二つ目の文ですが，次のように処理することができます。

> <u>This was prompted by</u>① the recent popularity of online education, <u>as well as</u>② by a variety of social changes:③ the decrease in the birth rate and the increase in the number of working people taking part in graduate school programs.

まず，指示代名詞のthisを使って先ほどの主文を受け，その原因をあとから述べます（①）。

次に，②のas well asは二つの文を並行して並べるのに便利なツールです。二つのAとBという文があった場合，BがAの一部と考えられるような場合は，including ...や，such as ...なども使うことができます。

最後は，③のコロンの使用。andでつなぐと文が長くなりそうな場合はコロンが便利です。P69で習ったように，コロンは，ある項目の内訳を説明する

ときに有効なツールです。

上記の例は，英文が原文より少々長くなりました。日本語では上記のような比較的硬い文章の場合，熟語の使用が多くなります。「授業受講」「少子化」「学習支援」など。上記の訳例では，日本の事情に疎い海外の読者のことを考え，できるだけわかりやすい言葉で英訳しているので，その分英文が長くなりました。

切れ目のない長い日本語の文章を訳すときは，まず文章を熟読し，次のことを考えてから訳します。

> 1) メイン・センテンス（筆者が一番言いたいこと）はどれか？
> 2) メイン・センテンスと他のセンテンスとの関係はどうなっているか？
> 3) どうしたら，読者にわかりやすい英文の構造に変えることができるか？

出来上がった英文は，何度も読み返し，原文とニュアンスがずれていないかどうか確認しましょう。

◆練習問題◆

以下の例文を二つ以上の文に分けて上手に訳してみましょう。

1) このたび，屋上に設置してあるＢＳアナログ放送設備が故障しており，同放送をご覧になられている方には，大変ご迷惑をおかけしています。
2) 本園では，衛生面はもちろん専門の栄養士が献立を作成し幼稚園調理室にて調理する独自の給食を実施しており，保護者からもご好評をいただいております。
3) 本研修では，個人情報に携わる社員が個人情報保護法に関する知識をよりよく理解できるよう，情報セキュリティの専門家を講師にお迎えし，スライドやテキストを使用しながら一つ一つ解説していきます。

VI　日本語に多い接続詞，副詞

長い修飾語がついたり，切れ目のない文が日本語には多いことは前章で述べました。もう一つ特徴的なのは，日本語の文章には，文と文，段落と段落をつなぐための接続詞，副詞の使用が英語に比べて多い点です。それらはそのまま訳したほうがよいのか，それとも訳さないのほうがよいのか，例文を見ながら考えてみましょう。

●文と文をつなぐ「また」

日本語の接続詞としての「また」は，文章の中に頻繁に現れます。次の例を見てみましょう。

> さて，2008年度の印税報告書を同封いたしますので，ご査収ください。また，印税の支払いにつきましては，5月27日までにご登録先の銀行へ振込ませていただきます。

上記の文をよく眺めてみると，文中の「また」は，二つの文の流れをスムーズにするために置かれているようです。「また」を訳出せずに英文にしてみると，次のようになります。

We are enclosing our Royalty Payment Report for the year 2008. The payment will be completed through wire transfer into your bank account by May 27.

このように，英語では「また」と言う言葉を訳出しなくても，立派に文章は成り立ちます。ここに余計な接続詞や副詞 (and, so, also, furthermore など) を入れるのは，上記のような事務的な文書にはあまり似合いません。

●段落を切り替える「さて」「なお」

以下の文章は，企業合併のお知らせの文面の一部です。

基礎編 | 日英翻訳

> 平素よりわが社のK-phoneをお使いいただきましてありがとうございます。
>
> <u>さて，</u>このたび○○社は，来る9月1日，グループの代表会社である××社と合併する運びとなりました。今後は○○××社としてサービスを提供させていただきます。
>
> <u>なお，</u>サービス内容の大きな変更はございません。お客様におかれましては，従来通りのサービスをより充実した内容でご利用いただけます。

アンダーラインの言葉「さて」「なお」は，日本語の文章では段落を切り替えるときのtransitional wordとしてよく使われます。では，訳文のほうを見てみましょう。

> Dear Customer:
>
> Thank you for using K-phone.
>
> We are pleased to announce a merger with our parent company, ××.
> As of September 1, our company's name will be changed to ○○××.
>
> There will be no major changes to our services. We will continue to provide our valued customers with the same services of even higher quality.

もう気づかれたと思いますが，英語のほうには，「さて」「なお」に当たる言葉が見当たりません。その理由はよくわかりませんが，日本語ではつなぎ言葉がないと落ち着かない印象になるのに対し，英語のほうは，そのような言葉なしでもおかしくはありません。

ここで注意して欲しいのは，英語ではつなぎ言葉の接続詞や副詞をまったく使わないわけではないことです。前後の意味関係をはっきりさせたい時やリズム的にあったほうがよい時には使われます。会話調のプライベート・レターなどでは，まったくないと無愛想にも感じられます。

101

ただし，前述のような事務的な文章では，極力余計な言葉を省いた，シンプルな文章が好まれます。また，ここで一つ注意しなければならないのは，transitionの言葉がない場合は文章が単調になりがちです。同じ主語が文頭に毎回来ないように工夫をしたり，多種の構文を織り交ぜてリズムをよくするなどの工夫をしましょう。

◆練習問題◆

次の文章の下線部分は，各段落でどういう役割を果たしているでしょうか。考えてみましょう。

謹啓　時下ますますご清祥のこととお慶び申しあげます。
平素は格別のご高配を賜り厚く御礼申しあげます。

<u>さて</u>，本年7月，弊社の親会社は，株式譲渡により英国○○社から株式会社××に移るとともに，両者間の業務提携による新しいグローバル・アライアンス・パートナーシップが誕生しました。

<u>これを受けて</u>，同7月13日開催の弊社臨時株主総会ならびに取締役会におきまして左面に記載されているとおり，役員が選任されそれぞれ就任いたしました。

<u>また</u>，弊社では本年10月1日から社名を，

　　　　　　××××××

と改称し，この新体制のもとに一層の社業の発展に精励いたす所存でございます。

<u>つきましては</u>，今後ともご支援を賜り倍旧のご指導ご鞭撻いただきますようお願い申しあげます。

<u>まずは</u>略儀ながら書中をもってご挨拶申しあげます。

VII　トピック型日本語から主語型英語へ

日本語では、「～については」「～に関しては」というような前置きをしてから、本題に入る文をよく見かけます。トピックを先に提示してから本題に入るトピック型言語の特徴とも言えます。主語を省くことが多い日本語では、このような形のほうが文として落ち着くようです。次の文を見てみましょう。

> スカラーシップに関しては、国際交流室にて案内を提示します。

この場合、「～に関しては」というのは、ちょっともったいぶった前置きのようです。思いきって、「スカラーシップ（に関する情報）」を主語にして英文を作ってみると次のようになります。

> Scholarship information will be posted on the bulletin board at the International Liaison Office.

上記の英文は、Scholarship information という無生物が主語となり、受け身形の文になっています。英語では、事務的な文章や人間臭さを感じさせたくないときは、このように無生物の主語を立てた受け身文を作ります。

次の例文を訳してみましょう。

> カリキュラムの詳細については、当校のホームページでご覧になれます。

上記の文は、二つのスタイルで訳せます。一つは、前例のように、無生物主語を立て、受け身形にするスタイルです。

> The curriculum is explained in detail on our school website.

もう一つは、不特定主語の You を主語に立てます。

You can find the details of the curriculum on our school website.

どちらがよいかは，どのような印象を読者に与えたいかによります。最初の訳に比べると，あとの訳は会話調に近く，優しい感じがします。一方，前者は事務的で，硬くフォーマルな感じがします。

さて次は，同じくトピック先行型の文でも，能動態，他動詞を使う例を見てみましょう。

> 本研究では，中小企業の技術革新がどのように行われているかを中心に調査した。

The research focuses on the implementation of various innovations in small and medium-sized firms.

無生物を主語に立てる文は，論文や学術資料によく見られます。論文ではどうして人間を主語に立てないかについては次章で述べますが，無生物が主語であるほうが，人間味が介在せず，客観的な表現に感じられるようです。

次の例も見てみましょう。日本語では，「～としては」というようにトピックを先に述べていますが，英語にすると，それをそのまま主語として立てることが可能なことがわかります。

> （本大会の）具体的活動内容としては，学術雑誌の発刊や，セミナー・ワークショップなどの開催を含みます。

The activities that we are currently conducting include issuing academic journals and presenting seminars and workshops.

さて，さまざまな例を見てきましたが，不思議なことに，日本語のトピック型の文は英語の無生物主語の文とよく馴染むようです。しかし，英語に無生物の主語が多いのはどうしてかをネイティブスピーカーに聞いてもわかりませんし，その理由が学術的に解明されているわけでもないようです。

ただ，日本語のトピック型の文と英語の無生物主語の文を比べてみると，どちらも話者が話題から少し距離を置いているように感じられます。つまり，論文や事務的文書に多いというのはそのような理由によるのでしょう。

◆ 練習問題 ◆

以下の例文を「〜に関しては」「〜については」にまどわされず，意味を考えながら訳してみましょう。

1) 海外の大学との間で行われる遠隔講義に関しては，今年度より情報支援室がサポートを開始しました。
2) (機械の)操作方法については，この使用説明書を先にお読みください。
3) 美術館の詳細については，パンフレットでご覧になれます。
4) 異文化間コミュニケーションにおいては，話し手が優れているのも重要だが，聞き手としても相手の言っていることを正しく理解できる能力がなくてはならない。

VIII 英語らしい翻訳へ——無生物主語構文

さて，前章で無生物を主語に立てる英文は，話者と話題との距離感を作り，客観的な描写に多いということを述べました。これは，次に述べる，論文や学術資料に無生物主語を多く見かけるということと大いに関係があります。

● 学術的な文章で無生物主語を使う場合

次の文を，無生物主語を使って訳してみましょう。

> 本稿では，わが社で行った技術革新5例について報告します。

<u>This paper discusses</u> five cases of technological innovation that our company has achieved.

報告するのがあたかも人間ではなく，論文そのものであるかのように論文を擬人化した表現です。論文は一人称，二人称を避けるのが原則ですので，常に主語は「もの」になります。次の例文はどう訳すでしょうか？

> 少子化の原因には，キャリア志向の女性の増加が密接に関係しているとの調査もあります。

<u>Research suggests</u> that the declining birth rate is closely related to the increase in the number of career-minded women.

まるで人間の代わりにResearchがthat以下のことを示唆しているような文です。論文や学術的な文章では典型的な表現です。論文の場合は，ある程度決まった無生物主語と動詞が使われるので，それらを色々と使いこなすことによって表現に幅を持たせることができます。以下はよく使われる表現で，覚えておくと便利です。

　　The paper focuses on …
　　The paper discusses …
　　The study reveals …
　　The result shows …
　　This figure indicates …

●学術的な文章以外で無生物主語を使う場合

さて，論文や学術資料のほかにも，無生物主語を好んで使うケースはたくさんあります。広告などにその傾向が見られますが，その場合は距離感や客観性を狙っているわけではないようです。無生物主語を使うと，活発でスマートな印象を与えると言う人もいます。

次の文は，雑誌の定期購読を勧める広告文の一部です。

> エグゼクティブ・コースには，次の利点があります。

Your executive benefits include the followings:

この例では，「～には～がある」という文章を「～が～を含む」という能動的な文に変えています。こうすると，簡潔でストレートな感じになりませんか？

次の例も，「～には～がある」という文を，無生物主語を使った英文に言い換えています。無生物主語を使い，それがあたかも offer という行為を行っているという表現に変えるとインパクトや説得力が強くなるような感じがします。

> グローバルに事業を展開している ABC 電器には，あなたの力や経験を発揮できる舞台が数多くあります。

ABC Electric Industrial Company offers you the chance to contribute your abilities and experiences to our global operations.

他にも，「～には～がある」に似たタイプの無生物主語の文としては，次のようなものがあります。

このパンフレットには，東京に関する情報がたくさん載っています。
This brochure provides you with a lot of information about Tokyo.

当ホールには，最新のオーディオ設備が設置されています。
Our auditorium features the latest audio equipment.

バイオマスには，有機性資源（生ゴミ）が含まれています。
Biomass includes resources derived from living organisms.

また，「～によって～が可能になる」「～れば～になる」文でも無生物主語がよく使われます。使われる動詞は大体決まっているので，それらを意識して使っていくうちに，無生物の主語を使った文を上手に使いこなせるようになり

ます。

新しい技術により，化石燃料の消費は著しく減らせます。
The new technology <u>enables</u> us to greatly reduce our consumption of fossil fuels.

皆さんの支援によって，世界をリードするにふさわしい，固い信念と革新的な心を持つリーダーたちを養成することができます。
Your support <u>helps us to achieve</u> our goal, which is to develop principled, innovative leaders who will improve the world.

化石燃料の継続的な消費は，それらの枯渇につながります。
Continued consumption of fossil fuels will <u>lead to</u> their exhaustion.

上記の文は，「～は～につながる」という形になっていますが，原文をよく読むと，順番に，「新しい技術があれば」「皆さんの支援があれば」「化石燃料を継続的に消費すると」という条件文に言い換えられます。要するに，この部分は，ある結果を引き起こす（かもしれない）原因を述べています。原文の日本語を一度読みほどいてみると，驚くほど簡単に無生物主語の構文が作れることがわかります。

◆ 練習問題 ◆

以下の文を，無生物主語を使って訳してみましょう。

1) 以下のウェブサイトには，さまざまな求人情報が掲載されています。
2) 六本木ヒルズには，東京のセレブたちが集合します。
3) 中途半端な計画では，ろくな結果が得られませんでした。
4) この雑誌を読めば，国内外の最新ニュースが手にとるようにわかります。
5) 同封の小冊子には，今年のプログラムの概要と参加者のプロフィールが紹介されています。

基礎編 | 日英翻訳

IX 日英翻訳で陥りやすい罠

さて，話は変わりますが，日本人の英作文における特徴は日英翻訳で参考になる点が多くあります。以下は参考として読んでください。

●日本語の「思う」はいつもthinkではない

事務的な文章ではあまり見かけませんが，スピーチ原稿を訳すときによく出くわすのが「思う」という文末をともなった文です。これは「そのように考えている」というときもありますが，言葉尻を濁しニュアンスを柔らかくするという場合が結構多いのです。例えば，次の文ではどちらの意味でしょうか。

> 効果的なダイエットのためには，体に良い物を食べ，適度に運動することが秘訣かと思います。

上記の文の場合，話者は「思います」という言葉を使うことで断定を避けていますが，このような使い方は謙遜を重んじる日本人には典型的な言い方かもしれません。訳文ではそのような謙遜は自信がないようにも聞こえますので，思い切って割愛し，次のようにストレートに訳すこともできます。

> The key to a successful diet is eating properly and exercising regularly.

●「〜たら」はいつもifではない

日本語の文章には，「〜たら」という条件節の文が割合多いことも特徴です。例えば，以下の二つの文を比較してみましょう。

> 1) 保険証を紛失したら，近くの保険事務所に届けてください。
> 2) 古い保険証の有効期限が切れたら，近くの保険事務所に返してください。

1)の文は，If you have lost your insurance cardと言い換えられますが，2)の文では，ifを使うのは適当ではありません。保険証の期限はほうっておいても切れますので，ここではwhenを使うほうが適当です。正しい英文は次のようになります。

　　When your insurance card expires, please return it to the nearest Insurance Office.

ifとwhenの使い分けは英語でもさほど厳密ではありませんが，ifに当たらない場合も多いので注意して訳しましょう。

●becauseやsinceを使いすぎない

日本語には「〜ので」とつなぐ文が多いですが，それを常に原因を表すと解釈してbecauseやsinceを頻繁に使う人がいます。例えば，次の文はどうでしょう。

> 定年後の人生は単調になりがちな<u>ので</u>，夫婦で工夫することが重要です。

becauseやsinceは因果関係をしっかり示したいときには有効ですが，上記の文のような場合は無理に使うことはありません。

　　Life after retirement tends to be monotonous, <u>so</u> a husband and a wife should come up with some ideas that make their life more enjoyable.

ここでは，軽くsoやandを使うか，まったく接続詞を使わなくても英文としては十分です。

●日英言語間の微妙なニュアンスの違いに注意

次は，英語ネイティブの人がよく指摘することですが，日本語独自の使い方をしているうちに，知らずしらず，英語でも同じように使ってしまう例です。

「〜にチャレンジする」は，英語でも日本語でも使われますが，次のような場

合は使い方が違います。

　今年は，生け花にチャレンジしようと思います。
　× I'd like to challenge flower arrangement this year.

上記がなぜいけないのかというと，動詞のchallengeは，困難なことに挑戦する，挑むという意味で使われ，楽しいことに思い切って参加するという意味には使われないからです。

この場合は，I'd like to try flower arrangement this year. とtryを使うのが正解です。動詞としてのchallengeは，例えば次のように使います。

　I challenged his assertion.　彼の主張に対して反対意見で挑んだ。

ただし，名詞のchallengeは，日本語のチャレンジとほぼ同じように使えます。

　子ども二人を育てながら大学院で勉強するのは，私にとって大きなチャレンジだ。
　It's a big challenge for me to study at graduate school while raising two children.

また，日本語の「問題」という言葉も，よく考えて訳さないと誤解を招きます。

次の文はどう訳すでしょうか？

> 定年後に夫婦が楽しく過ごせるかどうかは，深刻な問題だ。

　It is an important issue whether a husband and a wife can enjoy their time together after retirement or not.

上記では，problemではなくissueまたはquestionを使うのがよいでしょう。problemは解決すべき困ったことというニュアンスがあるため，上のコンテクストには似合いません。

◆ 練習問題 ◆

次の語彙はそれぞれ意味が似ているが，使い方が微妙に異なります。例文を見つけ，それらの違いを比較してみましょう。

1) study
　learn
2) expect
　anticipate

X　形式や文化的表現

さて今まで，正確かつ簡潔でわかりやすく，ネイティブスピーカーの発想に近い英訳を目指すコツを学んできました。最後になりましたが，翻訳においてもっとも越えがたい壁は，実は形式や文化的な表現の違いです。本章では，そのいくつかを紹介しますが，実際の練習は本書の「実践編」で試してください。

● 見出し・タイトルの訳し方

日本語の招待状や案内のレターを英訳するとき，トップに大きな見出しがついていることがよくあります。

例えば，次のようなものです。

　「ご相談窓口のご案内」

　「会社合併のお知らせ」

　「入学試験結果について」

このような見出しがあると，あとの文章が何について書いてあるのかすぐにわかり重宝します。ところが，英文のビジネスレターでは，ほとんどこのよ

うな見出しをつけることがありません。いきなり，Dear Customer, Dear Clientsなどで始まります。見出し・タイトルについては，出来ればクライアントに事情を話し，英語ではレターの頭に見出しやタイトルをつける習慣がないことを納得してもらいましょう。

さらに，配布資料などでも，日本語の文章ではよく「〜について」「〜のお知らせ」という見出しがつきます。そのような時，必ずしも日本語のタイトルをそのまま直訳する必要はありません。むしろ直訳すると奇異に見えることもありますので，ちょっとした工夫をしてみましょう。

例えば，次のような日本語のタイトルがあったとします。

キャリア相談のご案内

―就職活動でお悩みの学生さんへ―

これをそのまま直訳するのではなく，次のような英語に言い換えることも可能です。

Need Career Support?

We are here to help students who need advice on their job hunting activities!

上記の英文は，形式にこだわらず，見出しの効果を考えて訳した例です。招待状の見出しなども同じように工夫すると上手に訳せます。その例は「実践編」で練習しましょう。

●儀礼的な表現

次に，よくあるのが挨拶状などに見られる儀礼的な表現です。下記のような

文面は，日本語の文書には頻繁に登場します。

　初秋の候，ますますご清祥のこととお喜び申しあげます。

　株主の皆さまにおかれましては，ますますご清栄のこととお喜び申しあげます。

　平素は格別のご高配を賜り厚く御礼申しあげます。

上記のような文面は英語に訳してもあまり意味を持たないので，割愛するのが一般的です。本来は，こうした儀礼的な挨拶は日本人の相手に対する思いやりや季節の移り変わりに対する愛情を表現するものですが，実務的な英語の文書にそれを無理に挿入するのは効果的ではないでしょう。

英語の事務的な文書においては，以下のように，はじめからずばり用件を述べます。

　We are pleased to send you the MIT Sloan School Annual Report, covering the Institute's fiscal year from July 1, 2007 to June 30, 2008.
　　MITスローンスクールの2007年7月1日より2008年6月30日までの年次レポートをお送りいたします。

いくらかパーソナルなタッチを加えた場合は，次のような書き出しもあります。

　Hello again, from Luverne, Minnesota! We are writing to invite you to the 50th Anniversary Celebration of AFS in Luverne on June 23, 2008.
　　ミネソタ州ルバーンから皆さまにお知らせです。2008年6月23日にAFSルバーン支部が第50周年の記念行事を行います。ぜひご参加ください。

　I wanted to take a moment to thank each of you who have continued to support the Management of Technology Program in so many different ways over the past two decades.
　　まず最初に，過去20年における皆さま方のManagement of Technology Programに対する様々なご支援に対して，紙面を借りてお礼申しあげます。

次に締めの表現ですが，こちらは英語でも必ず儀礼的な表現を添えます。日本語の「今後も，ご指導およびご鞭撻を賜りますようお願い申しあげます」「引き続き一層のご支援を賜りますよう，お願い申しあげます」に直接相当する文言はありませんが，似たような表現としては，次のような言い方がよく文末表現として使われます。

　We greatly appreciate your continued support.
　　これからも引き続きご支援をお願いします。

　We look forward to utilizing our expertise and resources to serve you better.
　　今後も，我が社のノウハウやリソースが皆さま方のお役に立つよう切に願っております。

　We look forward to hearing your suggestions for our new product to better meet your needs.
　　今後も皆さま方のニーズに合うよう当社の製品の向上に注力いたしていく所存ですので，ご提案，ご助言をお待ちしております。

以上，ビジネスレター，案内，招待状は，日英の言語表現，文化の違いを考えて，それぞれに合った表現を用いるようにしましょう。

◆練習問題◆

実践編のⅠ（ビジネスEメール）とⅡ（招待状）には形式的または文化的な表現がたくさん出てきます。本章で学んだことをもとに，課題や練習問題に取り組んでみましょう。

XI　日本語と英語で違う記号とルール

日本語と英語の記号の違いや英文ライティングに特有なルールをとりあげます。

コロン，セミコロンの使い方は英日翻訳のＰ69〜70を参照してください。ピリオド，ハイフン，カンマなどの使い方は，詳しく解説した本がたくさんあります。本章では，それ以外の日本人の翻訳者や英語学習者が間違いやすい例を挙げます。

●「〜」は英語では使わない

例えば，「登録期間は4月10日から4月16日です」という文の場合，日本語では次のようによく書きます。

　登録期間：4月10日〜4月16日

意外と知られていないのですが，上記の「〜」は日本語特有の記号です。英訳した場合，次のようにハイフンを使います。

　Registration period: April 10 - April 16

また時刻の表し方も日英で違います。

　受付時間：13:00〜17:00

日本語では上記のように書きますが，英語では24時間表記は軍隊とか特殊な機関だけが使用します。下記のように書くのが普通です。a.m.，p.m.も必ずつけましょう。

　Office hours: 1:00 p.m. - 5:00 p.m.

ほかにも日本語では使うのに，英語では文章に使わない記号があります。「　」，『　』はもちろん，＜＞，【】，《》などは英語では通常使わないので要注意です。andという意味での＆の使用も正式な文章中では好まれませんので注意しましょう。

●著書名はイタリックで

日本語では，著書名は『翻訳入門』というように『　』でくくります。「　」

や『　』は,「〜」と同じく日本語特有の表記です。英語の場合は,イタリックで著書名を表します。

One of his recent publications is *Introduction to Translation* published last year.

論文の最後に来る参考文献をつけるときも,著書名はイタリックで書くようにします。

Tanabe, Kikuko and Mitsufuji, Kyoko. (2007). *Practical Skills for Better Translation*, Macmillan Language House

●原因・結果を表すのに「→」は使わない

英語では「→」を文章の中で使わないことは案外知られていません。スペースを節約したいパワーポイントのスライドならともかく,文章中ではなるべく使用しないようにしましょう。

× The use of fuel cells → Decreased emissions of harmful substances

上記でも意味は伝わりますが,なるべく以下のように書き換えたほうがよいでしょう。

The use of fuel cells will result in the decreased emissions of harmful substances.

●クォーテーションマークの使い分け

よく指摘されるのが,クォーテーションマークの" "と' 'の混同です。アメリカ英語とイギリス英語ではやや使い方が違いますが,アメリカ英語では,会話や引用を示す場合はすべてダブルクォーテーションの" "を使います。

This type of computer fraud is called "phishing."

' 'が使われるのは,主に" "の中で使われる場合で,以下のような文に

なります。

The IT security consultant said, "We must eliminate 'phishing' now."
（注）phishingとは，金融機関などからの正規のメールやwebsiteを装い，暗証番号やクレジットカード番号などを詐取する詐欺。「釣り」を意味するfishingが語源。

●文章では省略記号をなるべく用いない

今度は英語の省略記号についてです。英語では，きちんとした文書には省略を好みません。次の省略形は辞書には出ていますが，文章中ではなるべく使わないほうが無難です。ましては，自分で作った勝手な省略記号（時々見かけます！）を使うようなことはよくありません。

（省略形）	（正しい形）
ex.	example
conc.	concentration
Univ.	University
Prof.	Professor
Dept.	Department

なお，月や曜日の表記に関して，AprilをApr.としたり，ThursdayをThu.とするのも日本人が書く英語の文章には多く見られます。しかし，英語のフォーマルな文書ではスペルアウトすることをお勧めします。

●その他の注意事項

習慣の違いとも言えますが，次のことも英語と日本語で違います。

◇名前はフルネームで

日本語では，「ご紹介にあずかりました田中と申します」などと言うように，ラストネームだけを述べることがよくあります。しかし，英語では，文書の中ではフルネームで書くのが普通です。

Thank you for your kind introduction. My name is Tetsuo Tanaka.

◇10未満の数字はスペルアウトする

英語では，数字が10未満のときは数字で書かず，スペルアウトするのが原則です。

There are three examples.
I left the U.S. two years ago.

ただし，大きな桁の数字の場合，円やドルなどの金額，パーセントなどの単位がつくときは，次のように数字で表記します。

Last year, Mr. Smith earned 3 million dollars a year.
The sales fell by 30 % from the previous year.

なお，数字が文頭に来るときは，次のようにスペルアウトしたほうが見た目上綺麗です。

One hundred and fifty people visited the shrine last year.

◇月日だけでなく，西暦を入れる

正式な文書では，月日だけでなく，西暦も加えましょう。

The report was published on May 10, 2008

◆ 練習問題 ◆

実践編のⅡ（招待状）やⅤ（パワーポイント資料）の中で，英語の訳号の使い方を練習してみましょう。

実践編

基礎編で学んだテクニックを応用してみよう

実践編

英日翻訳

I	新聞記事——社会	medium
II	新聞記事——社会	easy
III	新聞記事——政治	medium
IV	アニュアルレポート——経済	medium
V	雑誌記事——社会	difficult
VI	新聞記事——政治	easy
VII	雑誌記事——政治	difficult
VIII	ウェブサイト——科学	difficult
IX	新聞記事——文化	easy
X	新聞記事——経済	easy
XI	電子ジャーナル——科学	medium
XII	電子ジャーナル——文化	medium
XIII	新聞記事——科学	easy
XIV	国際機関の文書——行政	easy
XV	専門誌——科学	difficult
XVI	書籍——文化	difficult

I　新聞記事──社会　　medium

「実践編」では社会・政治・経済・文化・科学のトピックについて，新聞・雑誌・ネットニュースなどの記事を実際に訳していきます。

▶**基礎知識を得る**──初心者はまず基礎知識の収集から始めましょう。関連書籍やインターネットで調べたり，仲間がいるなら順番に担当を決めて発表し合ってもよいでしょう。

▶**例題の難易度と所要時間**──各章には英文の難易度，練習問題にはワード数をつけてあります。そうした難易度や訳す人の英語力にもよりますが，おおよそ300ワードを1時間で訳すペースを最終目標にしてください。制限時間をもうけ，限られた時間で訳し終えるトレーニングも有効です。

▶**訳文のレビュー**──翻訳には自己表現の楽しさがありますが，独りよがりは避けたいもの。指導者に添削してもらう，仲間と検討会を開く，付録の試訳と見くらべるなどに加え，リライトして完成稿をつくることも大切です。問題点を抜き出した「誤訳ノート」をつくればなお理想的です。

▶**タイトル**──タイトルは最初は仮訳をつけ，全文を訳し終えたあとに最終決定してください。試訳でもタイトルをつけていませんので，各自で考えてみてください。

▶**グループ翻訳**──実務翻訳ではグループで訳すケースが少なくありません。少し長めの課題文は，グループで訳す翻訳プロジェクトとして行うと貴重な経験になります。

「実践編」の課題は，日ごろから英語で情報収集することの多い分野を集めました。翻訳をとおして，抵抗なく英語の新聞雑誌・ネット情報を読みこなせるレベルを目指しましょう。

◆実際に訳してみよう！

ファストフードのマクドナルドという身近なトピックなので，楽しく訳せるでしょう。

実践編｜英日翻訳

> 例題

What's a McJob?
By Ted Landphair
VOA News, 04 May 2007

The giant McDonald's fast-food corporation is not just serving 50 million people a day in 119 countries. It's also polishing its image among wordsmiths. McDonald's is about to launch a campaign in Britain to convince publishers to purge the word "McJobs" from dictionaries. The biggest target is the venerable Oxford English Dictionary, often regarded as the arbiter of correct English usage. Even the Voice of America turns to this weighty British publication to settle disputes over words.

Point 1：wordsmithsは「言葉を操る人」の意で，物書きを金属細工職人smithになぞらえた気取った表現です。対応する日本語の表現を探すのは時間もかかり，たとえ見つかっても意味のずれが避けられません。「文章のプロ」などの中立的表現に置き換えるのが無難です。試訳では少し踏み込み，記事全体の文脈から類推して「マスコミ」と訳しました。

Point 2：固有名詞の正しいカタカナ表記をきちんと調べることは，プロの翻訳者にとっては非常に大切な作業です。ここに出てくるVOA (Voice of America) はアメリカの国営放送局。ｖの音にウ濁音を使う表記法（ヴォイス）もありえますが，ネット検索をすれば「ボイス・オブ・アメリカ」という表記が一般的であることがわかります。日本のマスメディアではウ濁音は使わないのが一般的ですが，「ヴェルディ」などの固有名詞，一般名詞でも「ヴェール」など，ウ濁音を使うこともあります。

> 試 訳

ファストフード界の巨人マクドナルドは，毎日119カ国の5000万人に食を提供しているだけではない。マスコミに向けたイメージアップも行っている。イギリスでは新たなキャンペーンをスタートさせ，辞書からMcJobs（低賃金で将来性のない仕事）という単語を削除するよう出版界に働きかけようとし

ている。最大のターゲットは，正しい英語の用法の基準とされる，権威あるオックスフォード英語辞典だ。アメリカの公共放送VOA（ボイス・オブ・アメリカ）でさえ，言葉をめぐって議論になると，このイギリスの分厚い辞書に頼っている。

◆ 練習問題 ◆

例題の続きです。全体をとおして「言葉」がテーマになっている点に注意して，訳してみましょう。

> But McDonald's effort is not just a British story. The company tried and failed to get Merriam-Webster, the American publisher of the world's best-selling dictionary, to delete the "McJobs" word from its compendium. Merriam-Webster argued the definition—as low-paying work with few advancement prospects—is accurate. Oxford goes farther. It also calls McJobs "unstimulating."
>
> McDonald's—and some U.S. executives and government officials who got their start flipping burgers—object. They note that more than 1,000 owners of McDonald's franchises worked their way up from the food line. A McDonald's spokesman calls the company "an opportunity machine."
>
> Art, or a common McPainting?
>
> While McDonald's jousts with the lexicographers, it has a bigger semantic fight. Houses that are grossly oversized for their neighborhoods are now called "McMansions." "McPaintings" are mass-produced works of dubious value, like paint-by-number exercises. And some people call it "McDonaldization" when companies or industries become more standardized, controlling and dependent on low-paid, usually non-union workers. At McDonald's corporate headquarters in Illinois, this is giving executives a super-sized McHeadache.
>
> (169w)

II　新聞記事――社会　easy

日本に関する記事を訳すのは，日本的なものや習慣を英語でどういうかを学ぶチャンスでもあります。お正月や節分などの行事，和食や和菓子，省庁などの政治組織の英語名称，就職活動や名刺などのビジネス習慣の呼び方などをグロサリーにまとめておくと良いでしょう。

◆実際に訳してみよう！

大地震に関する調査報告についての新聞記事です。どんな調査報告だったのか，日付などを参考にネット検索などで調べてから訳しはじめましょう。

例題

> **Quake lessons after 13 years**
>
> *The Japan Times*, Saturday, Jan. 26, 2008
>
> 　　Thirteen years have passed since the Great Hanshin Earthquake on Jan. 17, 1995. The magnitude 7.3 quake occurred in the Inland Sea and caused 6,434 deaths. Since then, other deadly quakes and quake studies have shown that Japan needs to improve its earthquake preparedness and to strengthen quake-related observation and research.
>
> 　　According to a worst-case scenario predicted by a panel of the Central Disaster Prevention Council, more than 10,000 people would die in each major earthquake in five of eight fault zones studied in the Kinki region. A major quake in the Uemachi fault zone in Osaka Prefecture would kill up to 42,000 people, followed by 19,000 in a major quake in the Ikoma fault zone in the Osaka-Kyoto-Nara border area.

Point 1：The magnitude 7.3 quake は the を使った言い換え（実践編 P 57 参照）です。

Point 2：a panel of the Central Disaster Prevention Council——実際に調査結果が発表されたときの新聞報道を参照すれば，「中央防災会議の専門調査会」であることがわかります。読者が日本人なので，内容の正確さへの要求はより高くなります。必要に応じ，原文よりも詳しく名称を調べましょう。

Point 3：more than 10,000 people would die in each major earthquakeは「大地震が1回起きれば」という仮定のもとでの話です。したがってwouldは婉曲表現ではなく，仮定法であることに注意。

試 訳

　1995年1月17日の阪神淡路大震災から13年がたった。マグニチュード7.3のこの地震は瀬戸内海で発生し，死者6,434人を出した。その後に起きた地震や研究結果から，日本がさらに地震対策を強化し，地震の観測や研究を推進する必要があることは明らかだ。
　中央防災会議の専門調査会が発表した最悪のシナリオによれば，調査対象となった近畿圏の断層帯8箇所のうち5箇所では，1回の大地震で1万人以上が死亡するという。大阪府の上町断層帯の大地震では最大4万2000人の死者が，次いで大阪・京都・奈良にまたがる生駒断層帯の大地震では1万9000人の死者が予想されている。

◆練習問題◆

例題の続きです。訳してみましょう。

> 　　　While quake predictions are impossible, enhanced observation and research can improve warnings that tell how many seconds it will take tremors from a major earthquake to reach specific areas. They can also make a positive contribution to studies aimed at determining the patterns of future quake vibrations and improving the designs of buildings and other structures.
> 　　　Creating a better network of strong-motion seismographs to record strong quake vibrations will be especially important. Depending on the types of quakes—whether they occur directly below populated areas or as a result of tectonic plate collisions—the periods of vibrations differ. Structural designs must be able to cope with these differences.

　　　　In the Great Hanshin Earthquake, which occurred close to populated areas such as Kobe, the periods of strong tremors were one to two seconds. In the case of interplate earthquakes, the corresponding periods are believed to be longer. High-rise structures can vibrate in resonance with long-period tremors, with the vibrations of the structures growing stronger. The government should realize that a better network of strong-motion seismographs would help reduce damage in major quakes.

(181w)

III　新聞記事――政治　medium

国際政治の一大勢力となっているイスラム圏。その影響力の大きさにくらべ、日本ではあまり知られていません。以下は新聞記事ですが、対比のレトリック（基礎編 P66参照）を使ってイスラム圏の勢力地図をあざやかに解説しています。論理の流れに注意して訳しましょう。

◆実際に訳してみよう！

情報を効率よく伝えるため、全体に凝縮した表現になっています。一見した以上に難解な文章です。

例 題

Strife and Power in the New Middle East

By Marc D. Charney
The New York Times, July 23, 2006

　　　　Rivalries have long crisscrossed the Middle East in dizzying complexity over national ambitions, ideology, religion and oil wealth. Nations or groups that agreed on one point often quarreled on another. Outsiders sometimes played these divisions to their own advantage but found their plans easily undone.

Point 1：Rivalriesから始まる冒頭のセンテンスは，無生物主語＋他動詞のパターン（基礎編P35参照）。試訳では受動態にすることでこのパターンをやわらげています。

Point 2：crisscrossは「×を描く」という意味ですが，辞書の説明ではなかなかピンと来ません。グーグルのイメージ検索（P22）なども参考になります。中東の地図が「×」を描くようにずたずたに切られているところを想像してください。

Point 3：overはrivalriesを受けています。直前はcomplexityですが，rivalry over oilとは言っても，complexity over oilとは言いません。このような場合にコロケーション（基礎編P38）が読解の助けになります。

Point 4：Nations or groups 以下のセンテンスに表れた対比（agreeとquarrel）が，このあとに続く練習問題の部分で何度も繰り返されていきます。

Point 5：play something to one's advantageはイディオム。

Point 6：found their plans undoneのfoundは訳さなくてもよいでしょう。「発見する」「見つける」と訳すと重すぎます。英語の書き言葉で使われるある種のfindやknowは，日本語では訳さなくてよいケースが少なくありません。

試訳

中東は昔から，民族的野心，イデオロギー，宗教，石油資源をめぐる対立によって気が遠くなるほど複雑に引き裂かれてきた。それぞれの民族や集団は，ある点に合意するかと思えば，別の点では反目した。ときには第三者がそうした対立を利用して利益を得ようとしたが，そうした目論見は簡単に挫折した。

◆練習問題◆

例題の続きです。前頁のPoint 4を念頭において訳してください。

> Take one example: revolutionary movements. When colonialists ruled, secular nationalists and religious fundamentalists could unite against Westerners, then make war on each other for power, whether in Egypt, Syria or Iran.
>
> Today, Islamist revolutionaries are on the rise, with most secular nationalists considered moderates. And it is religionists once considered America's allies against Communism who are America's most feared enemies.
>
> Still, it is worth remembering that there are two broad streams of Islamism, the Shiite and the Sunni. Their fighters may work in tandem against Israel on the shores of the Mediterranean, but they shoot each other in Iraq.
>
> These confusing twists have consequences. The vacuum of power in Iraq, and the sectarian violence now filling that void, help open the way for Iranian power to spread unchecked. The growing Iranian influence, by most calculations, has been one factor in the sudden fighting this month on the Israeli-Lebanese border.
>
> Together, the conflict in Iraq and the escalating violence in Israel and Lebanon have peeled back a veneer of stability throughout the region.
>
> (172w)

IV　アニュアルレポート──経済　medium

アニュアルレポートannual reportは企業や組織の経営状況を記した年次報告書で，株主全員に配られます。インターネットには日本語・英語の多様なアニュアルレポートが掲載されています。アニュアルレポートはどんなもの

なのか，そうしたサイトでイメージをつかんでから訳しましょう。

◆実際に訳してみよう！

ある企業のアニュアルレポートです。通常，冒頭に掲げられるChairman's Letterは，企業や組織のトップが自らの経営理念を述べる部分です。チャートも手を抜かずに訳すこと。チャートと本文の内容に齟齬がないようチェックすることは翻訳者の常識です。

例題

> Emerson Investor
> 1999 Annual Report
> **Chairman's letter**
>
> Charles F. Knight
> Chairman and Chief Executive Officer
>
> Dear fellow investors,
>
>   Fiscal 1999 was another successful year for Emerson. We achieved our 42nd consecutive year of increased earnings and earnings per share and 43rd consecutive year of increased dividends per share, <u>a record of consistent, strong performance</u>.
>   Fiscal 1999 <u>also</u> caps a five-year period that has been one of the most outstanding in Emerson's history. During this period, our stockholders <u>averaged</u> <u>a 19 percent annual return on their investment</u>.

Point 1：a record of consistent, strong performanceはclausal appositive（P47）であることに注意。試訳ではrecordを名詞から動詞に品詞転換して訳してみました。

Point 2：alsoはFiscal 1999にかかる場合（1999年度もまた），capsにかかる場合（1999年度は〜でもあった）の両方が考えられます。文脈から判断してください。

Point 3：averageというと，すぐ名詞と思いがち。ここではedという過去形の語末からわかるように，動詞であることに注意。

Point 4：a 19 percent annual return on their investmentの中にreturn on investment (ROI＝投資利益率) というイディオムが隠れていることに注意。ただし「投資利益率」は株以外でも使われるので，ここでは強いて「投資利益率」という言葉を使わなくてもいいでしょう。

試 訳

株主の皆さま，

　1999年度もまた，エマソンは成功を収めました。収益と株価収益率は42年連続，一株当たり配当は43年連続で増加し，一貫して高い業績を記録しました。

　1999年度は，エマソンの歴史でも屈指の好業績が続いた5年目の年でもありました。この間，株主の皆さまは平均で年率19％もの高い利益率を得ました。

◆練習問題◆

例題の続きです。チャートも忘れずに訳してください。

Consolidated sales, earnings and operating cash flow all grew at double-digit rates, while return on total capital improved from 15.4 percent to 16.4 percent. Earnings per share excluding goodwill amortization, a measure more indicative of cash operating performance, increased an average of 12 percent per year, a point higher than the traditional metric. We are working hard to continue delivering this type of performance.

During the year, we faced a number of challenges in the industrial automation and process markets that masked outstanding performance in our growth initiatives and led to the first year

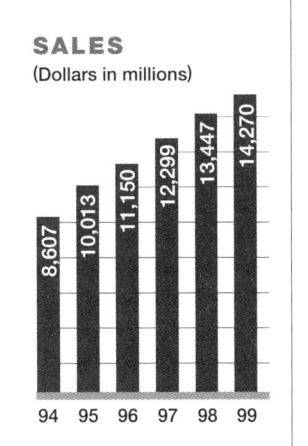

SALES
(Dollars in millions)

Year	Sales
94	8,607
95	10,013
96	11,150
97	12,299
98	13,447
99	14,270

From 1994 to 1999, Emerson's reported sales increased at a compound annual growth rate of 11 percent.

in six that we fell short of double-digit earnings per share growth. Low oil prices, consolidations of customers in the oil and chemical industries, and the continued impact of the Asian economic crisis combined to create some of the weakest market conditions I can recall in more than 25 years with Emerson. Given these economics, I give our people a great deal of credit for their performance.

We are disappointed by the performance of our stock price during the fiscal year. While we have realized solid growth for the past several years, our price/earnings multiple has not kept pace with the market. We are confident this slowdown is an economic cycle phenomenon, something we have seen before and will experience from time to time. Our growth initiatives will continue to strengthen Emerson's performance in all phases of these cycles. From my perspective, the Company is well positioned for the future in all areas of growth, profitability, technology and organization.

Our three leading areas of technology spending are now electronics, communications and software. I view this as an important shift, given the opportunities for product differentiation and the increased value proposition for customers that these technologies provide.

OPERATING CASH FLOW
(Dollars in millions)

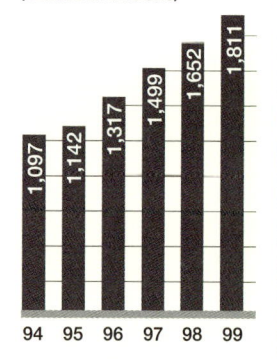

Year	Amount
94	1,097
95	1,142
96	1,317
97	1,499
98	1,652
99	1,811

From 1994 to 1999, Emerson's operating cash flow increased at a compound annual growth rate of 11 percent.

RETURN ON TOTAL CAPITAL

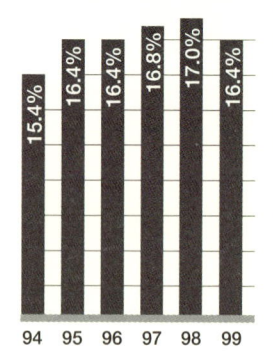

Year	Percent
94	15.4%
95	16.4%
96	16.4%
97	16.8%
98	17.0%
99	16.4%

Emerson's return on total capital is among the highest of its peers and other industries.

(290w)

実践編｜英日翻訳

V 雑誌記事——社会　difficult

雑誌記事は新聞記事より凝った文体が多く，難度が高くなります。冒頭で読者の興味をぐいとひき，次に結論を述べた上で，説明－事例－説明—事例－結論（オチ）と展開していく大きな流れを意識すること（基礎編 P 64「英文のライティング・スタイル」を参照）。

◆実際に訳してみよう！

「働く母親」についての雑誌記事です。記者は何をきっかけにこの記事を書いたのかを考えて読んでみてください。

例題

How Working Moms Chip In Twice

By Peter Coy
BusinessWeek, April 30, 2007

　　　　Are working mothers a secret economic weapon? A research report from Goldman Sachs (GS) argues that countries where women both work and raise children are best prepared to cope with the looming global pension crisis.
　　　　According to the Apr. 3 paper, when women have careers and children, they are doubly contributing to their nation's pension system —fattening today's retirement coffers with tax payments and bearing the next generation of workers, who'll carry tomorrow's pensioners.

Point 1：working mother は「働く母親」と訳したくなりますが，ネットで検索すると「ワーキングマザー」という表現のほうが多くヒットします。労働力不足の時代の女性の社会進出という，現代特有の社会現象であることを示すには，カタカナ語のほうがよいのかもしれません。

Point 2：A research report from Goldman Sachs (GS) argues that …のセンテンスは，「～によれば」を使って順送りすると訳しやすくなります（P 56「順送りで訳すコツ」④参照）。

Point 3：secret economic weaponはsecret weapon（秘密兵器）というフレーズ表現をもじった表現（基礎編P 39⑨参照）であることに注意。

Point 4：the Apr. 3 paperはtheを使った言い換えです（基礎編P 57参照）。なおこの記事の後半（練習問題）にはあと3箇所，同じものがtheを使った別の表現で言い換えられています。探してみてください。

Point 5：According以下のセンテンスは分詞構文で，分詞節の前にダッシュが入った変則形です（ダッシュは補足説明の意——基礎編P 48参照）。分詞構文には同時，原因，条件，譲歩，結果などの用法があり，文脈からそのつど判断します（基礎編P 43参照）。ここは「原因」と考えてよいでしょう。

試訳

　ワーキングマザーは経済の秘密兵器になるのだろうか。ゴールドマン・サックス（GS）の報告書によれば，女性が仕事も子育てもしている国のほうが，来るべき世界的な年金危機への備えができているという。
　4月3日に発表されたこの報告書によれば，仕事も子育てもする女性は国家の年金制度に二重の意味で貢献している。納税することで年金の財源を増やし，将来の年金受給者を支える次世代の労働者を生んでいるからだ。

◆練習問題◆

例題の続きです。訳してみましょう。

> The report, by London-based Goldman economist Kevin Daly, concludes that developed countries don't have to choose between babies and women in the workforce. In fact, in countries where women have the most babies, they also come closest to men in their rate of employment. Daly attributes this to cultural norms and government policies that make it possible for women to have both families and careers. Among the developed countries in the study, Scandinavia

ranked highest in working motherhood, while Europe's Mediterranean countries came in last.

American women resemble their Scandinavian sisters, although they work a bit less and procreate more. Women in the U.S. have the highest fertility rate of any major developed country, with 2.05 children each. They trail U.S. men by about 12 percentage points in employment rates. (Swedish women, by comparison, have just a five-percentage-point gender gap with men.)

Women in Japan, a nation with one of the least favorable pension outlooks, work less and have fewer children. Japan's fertility rate is 1.27, according to U.N. estimates. The country also has a male-female employment gap of roughly 23 percentage points.

Although it's not as bad, the job gap in the U.S. could be narrowed, Daly says, by ending tax discrimination against second earners and by subsidizing child care. Daly says Goldman Sachs isn't taking sides over whether women should work or raise families. "We simply argue that couples should have the freedom to choose [what] suits them. And surveys [in developed countries] suggest more couples want both partners to be in paid employment than is the case currently."

Cornell University labor economist Francine Blau says the Goldman Sachs paper adds a fresh argument to the case for policies that support working mothers. "I'm surprised that more attention has not focused on these types of issues in considering the future of Social Security," she says.

(307w)

VI 新聞記事――政治　easy

4年に1度，世界の動向を決定する大国アメリカの大統領が選ばれます。大統領選挙のやり方は日本の選挙とはかなり違います。複雑なプロセスを頭に

入れておかないとニュースは読めません。

◆実際に訳してみよう！

大統領選挙のおおまかな流れは以下のとおりです。各自でさらに詳しく調べたうえで翻訳に取りかかってください。

①予備選 primary election（1〜6月。州ごとに各政党の大統領候補，ないし特定の候補者を支持する代議員を選ぶ。州により党民集会 caucus を経て投票を行うところもある）
②党大会 convention（8〜9月。政党ごとに大統領候補を最終的に指名する全米レベルの大会）
③本選挙 general election（11月。各州の代議員による投票で，各政党で指名された候補者から大統領を選出）

例題

Democrats flock to Hawaii caucus sites

By Mark Niesse
Associated Press, Feb 19, 2008

　　　　HONOLULU - Democratic voters flocked to Hawaii caucus sites by the thousands on Tuesday as party officials predicted a record turnout in the contest between Honolulu-born Barack Obama and Hillary Rodham Clinton.
　　　About 1,000 people lined up outside Thomas Jefferson Elementary on the edge of Waikiki to cast their ballots.
　　　Many said they were participating in a caucus for the first time and felt compelled to show up because Hawaii's delegates might help decide the Democratic nominee.

Point 1：冒頭のHONOLULUはこの記事の発信地です。新聞記事はこのように，情報の発信地・日付，新聞社（または通信社）名などが冒頭に入ることが多いので注意しましょう。本文の一部と勘違いしないように。

Point 2：voter, caucus, Democrat, turnout, delegateなどの選挙用語をグロサリーなどにまとめておきましょう。

Point 3：on Tuesday——日本の報道記事は事件の正確な月日を記すのに対し，英文記事は曜日を記したり，last weekなどと漠然と示したりします。日本の読者は曜日で言われてもピンと来ないので，月日を調べて訳すほうがよいでしょう。記事の日付から逆算してください。

Point 4：asはあいまいでわかりにくい接続詞ですが，書き言葉では好んで使われます。原因を表す場合，whenの代わりに用いられる場合など，いろいろな用法があるので，そのつど文脈によって判断しましょう。この場合は「選挙民の殺到」と「記録的な投票率の予測」に因果関係はなく，同時並行的と考えて良いでしょう。したがって「順送り」でも「逆送り」でも可能です（P51参照）。

試訳

〔ホノルル発〕2月19日（火），何千人もの民主党の有権者がハワイ州の党民集会の会場に殺到した。ホノルル生まれのバラク・オバマとヒラリー・ロダム・クリントンの対決とあって，党幹部は記録的な投票率を予測していた。

ワイキキのはずれにあるトーマス・ジェファーソン小学校の外には，1000人ほどが投票のため列をつくった。

多くの人は党民集会に参加するのは初めてとのことで，ハワイ州の代議員が民主党の大統領候補指名を左右する可能性があることから，投票に行くべきと感じたという。

◆練習問題◆

例題の続きです。訳してみましょう。

> Sen. Daniel Inouye, D-Hawaii, who has been voting since 1948, said the turnout was the biggest he's ever seen.
>
> "For the first time we have a woman against an African-American. What more do you want?" asked Inouye, 83, as he stood in line to vote.

Party leaders have printed out 17,000 ballots and were prepared to start using blank sheets of paper if they ran out. The last caucus drew just 4,000.

About 5,000 people have signed up with the state Democratic Party since Super Tuesday two weeks ago, bringing the party's total membership to about 25,000 statewide.

Only registered Democrats are eligible to participate in the caucus, but voters can join the party by showing up at the caucus.

More than 120 people lined up at Koko Head Elementary School in the Honolulu suburb of Hawaii Kai even before the doors opened.

John Messerly, a 52-year-old former software engineer, sported a blue Obama baseball cap as he stood in line.

"Obama talks like a Hawaii guy and people really get that. He brings all his aloha spirit across the nation," he said. "Especially after the divisiveness of the last decade."

Obama spent most of his childhood in Honolulu until he left for college on the mainland. He still has many local ties, including his maternal grandmother, who helped raise him, and a sister. The sister, Honolulu school teacher Maya Soetoro-Ng, has actively campaigned for Obama on Oahu and Maui.

Clinton won the endorsement of the state's largest union, the 43,000-member Hawaii Government Employees Association, and Inouye, the dean of Hawaii politics.

The eight-term senator returned to Hawaii to campaign for Clinton over the weekend. Inouye even joined other volunteers at a Clinton phone bank to call likely supporters and encourage them to caucus.

Clinton supporter Jura Landfield, a 57-year-old retiree, said she backed the former first lady because she might be the nation's first female president.

"The only reason I'm here is because it's Hillary. It's the first time I'm even voting Democrat," she said.

(336w)

VII　雑誌記事——政治　difficult

以下の記事はイギリスの経済誌 *Economist* のもので，アメリカや日本のメディアとくらべて分析が冷静かつ辛口です。日本にも熱烈なファンがたくさんいるこの雑誌は，ヨーロッパの視点を知るうえで重要です。難度の高い英文ですが，挑戦してください。

◆実際に訳してみよう！

日本の新しい入国審査システムについての記事です。事実関係を調べてから訳しましょう。

例題

A controversy over fingerprinting foreigners
The Economist, Nov. 22nd 2007

　　　　In 1641 Japan's shogunate designated an artificial island in Nagasaki harbour as the only place foreigners could live. Japan has of late been more welcoming to gaijin. Yet this week it began to photograph and take digital fingerprints of all foreigners entering the country—residents as well as tourists and visiting businessmen. Privacy advocates deplore the emergence of a surveillance state. Pundits say it panders to anti-foreign sentiment in Japan, and undermines the country's ambitions to increase tourism and make Tokyo a global financial centre. Angry expats expect long waits at immigration.

Point 1：冒頭に長崎・出島の例を出し，最近の日本人は外国人に親切になったが……と展開しているのは，読者を記事に引き込むためのテクニック。

Point 2：photograph and take digital fingerprintsの部分は，日本での新聞報道などをチェックして，事実関係に基づいた正しい訳語を選びましょう。

Point 3：surveillance state はイディオム。ネット検索（P21〜22）してみましょう。

Point 4：pundit, expert, observer などは，記事の中でコメントしている研究者，評論家などを称してよく使われる言葉。学者なのか評論家なのかわからない場合，専門家としておけば安全。

Point 5：it panders の it は the emergence of a surveillance state を指します。代名詞が何を指すかは常に意識してください。

Point 6：expat は expatriate の略で，多国籍企業で働くエリートビジネスマンを指す場合もあるが，ここでは単に外国（この場合は日本）に居住している人のこと。

試 訳

　1641年，日本幕府は長崎港の人工島を外国人が居留できる唯一の場所と定めた。最近の日本はずっと外国人の受け入れに積極的だ。ところが今週から，日本に入国する外国人は観光・商用のみならず，日本在住者も含め，全員が顔写真とデジタル指紋をとられることになった。プライバシー保護を訴える人々は，新たな監視国家の出現を危ぶむ。専門家によれば，これは日本国内の排外感情に迎合した動きで，観光を振興し，東京を国際的な金融センターに育てたいという日本の野心をくじくものだという。日本在住の外国人は怒っているが，入国審査では長時間待たされることになりそうだ。

◆練習問題◆

例題の続きです。訳してみましょう。

　　　　In defence, the government says the measures are simply to keep terrorists out. As an example, Japan's justice minister, Kunio Hatoyama, a butterfly enthusiast, explained that a friend of a lepidopterist friend was an al-Qaeda operative, who for years travelled in and out of Japan on fake passports; the new measures would block the chap. Mr Hatoyama was quickly forced to backtrack lest it appear that ministers run around netting butterflies with terrorists. Yet the truth remains: terrorism in Japan has only ever been home-grown, most recently in 1995, when a sarin gas attack by a religious cult killed 12 in Tokyo's subway.

The system mirrors America's equally controversial US-VISIT programme. In principle, it should not cause such a fuss. All countries are moving towards the collection of "biometric" information: from next year, Britain will collect such data from visa-holders. The problem comes with implementation. America's US-VISIT system is fraught with flaws and cost overruns. Technical problems have delayed Europe's introduction of digital passports. For all Japan's prowess in designing computers, the government is peculiarly inept at running them. This year, it admitted it had lost 50m electronic-pensions records.

Exempt from the new screening are diplomats, children under 16 and certain permanent residents (ethnic Korean and Taiwanese who have lived in the country for generations). Why only gaijin? Japan already has all sorts of ways to keep watch on its own people, such as "neighbourhood associations". Foreigners are outside these social controls. Yet fingerprinting foreigners is just a first step to securing the biometric details of everyone entering and leaving: as it is, frequent travellers, Japanese as well as foreign residents, may save time by pre-registering to use an unmanned automatic gate at airports that takes photographs and fingerprints.

Mr Hatoyama says people should not be delayed more than the 20 minutes it already takes immigration officers to process visitors. This week some of the machines played up, but most travellers fell into line. Officials even claimed to have caught a handful of people who had already been deported at least once. They did not reveal whether they were butterfly collectors.

(351w)

VIII ウェブサイト──科学　difficult

インターネット上には各種の情報やニュースがあふれています。今後，ネット上の情報を訳すことも増えていくでしょう。事実関係を調べ，専門用語を正確に訳すこと，読者対象を意識して訳すことなど，注意する点は紙媒体と変わりません。

◆実際に訳してみよう！

The National Human Genome Research Institute (NHGRI) の公式サイトに掲載されたゲノムに関する雑誌記事の冒頭部分です。ゲノムは最新のトピックであり，最低限の知識は身につけておきたいところ。この記事はとくに専門性の高い内容なので，背景知識は必須です。

例題

Genomics and the Future
By Francis S. Collins, M.D., Ph.D. and Karin G. Jegalian
Scientific American, December 1999, pages 50-55.

The study of all the genes of various organisms—a field called genomics—will yield answers to some of the most intriguing questions about life.

　　　When historians look back at this turning of the millennium, they will note that the major scientific breakthrough of the era was the characterization in ultimate detail of the genetic instructions that make a human being. The Human Genome Project—which aims to map every gene and spell out letter by letter the literal thread of life, DNA—will affect just about every branch of biology.

　　　The complete DNA sequencing of more and more organisms, including humans, will revolutionize biology and medicine. In the spirit of this special issue of *Scientific American*, we predict that genomics will answer many important questions, such as how organisms evolved, whether synthetic life will ever be possible, and how to treat a wide

> range of medical disorders.

Point 1：生命科学は現在，最も注目を集める科学分野の一つです。genome, mappingなど，基本用語をグロサリーなどにまとめてみましょう。

Point 2：When historians look back at this turning of the millennium——日本語は述語が文末，英語は述語が主語の直後に来ることから，英語の語順のまま訳すと日本語では主語と述語が遠く離れてしまいます。そうした読みにくさを回避するための方法として，主語を述語の直前に移す（日本語は英語と違って語順が比較的自由に変えられます）方法や，主語を省略する（基礎編P59参照）方法が使えます。試訳では前者を使っています。

Point 3：mapとは遺伝子地図を作ること。「全遺伝子地図の作成」という訳が専門的すぎると感じたら，「すべての遺伝子を解読し」と訳してもよいでしょう。遺伝子地図がどんなものか，「遺伝子地図」ないし "genome map" というキーワードでイメージ検索（P22③参照）してみるとおもしろい。

Point 4：The complete DNA sequencing ... will revolutionize——無生物主語＋他動詞の組み合わせ。品詞転換すると自然な日本語になります。

Point 5：*Scientific American*は，それぞれの翻訳の目的により，「本誌」としたり，「サイエンティフィック・アメリカン」とカギカッコつきで表示したりします。なお，日本語の表記では，書籍は『　』（二重カギ），新聞・雑誌は「　」（一重カギ）でくくるか，「紙」や「誌」を後ろにつけます。

試訳

さまざまな生物の全ゲノムの研究（ゲノミクスと呼ばれる分野）は，生命に関する最も興味深い問題のいくつかに，答えをもたらすだろう。

　千年紀の変わり目である現在を歴史家が振り返るとしたら，科学分野における最大の革命は，ヒトをヒトたらしめている遺伝情報の詳細な解析にあったと気づくだろう。ヒトゲノム解読計画——人間の全遺伝子地図を作成し，文字通りの「生命の糸」であるDNAを一文字一文字記述することを目指す——は生物学のほとんどすべての分野に影響を与えるだろう。
　ヒトも含め，より多くの生物のDNAが完全に解読されれば，生物学と医

学は根本的に変わるだろう。「サイエンティフィック・アメリカン」の今回の特集の趣旨に基づき,我々はゲノミクスが多くの重要な問いに答えるだろうということを明らかにしたい。例えば生物はどのように進化したのか,人工生命は可能か,さまざまな医学的障害をどのように治療すればよいのか,といった問題だ。

◆練習問題◆

例題の続きです。訳してみましょう。

> The Human Genome Project is generating an amount of information unprecedented in biology. A simple list of the units of DNA, called bases, that make up the human genome would fill 200 telephone books—even without annotations describing what those DNA sequences do. A working draft of 90 percent of the total human DNA sequence should be in hand by the spring of 2000, and the complete sequence is expected to be available in 2003. But that will be merely a skeleton that will require many layers of annotation to give it meaning. The payoff from the reference work will come from understanding the proteins encoded by those genes.
>
> Proteins not only make up the structural bulk of the human body but also include the enzymes that carry out the biochemical reactions of life. Proteins are composed of units called amino acids that are linked together in a long string; the string folds back onto itself to form a three-dimensional structure that determines the function of the protein. The order of the amino acids is set by the DNA base sequence of the gene that encodes a given protein. Genes dictate the production of proteins through intermediaries called RNA; those that actively make RNA intermediates are said to be "expressed".
>
> The Human Genome Project seeks not just to elucidate all of the proteins produced within a human being but to comprehend how the genes that encode the proteins are expressed, how the DNA sequences of those genes stack up against comparable genes of other species, how genes vary within our species and how DNA sequences translate into observable characteristics. Layers of information built

on top of the complete DNA sequence will reveal the knowledge embedded in the DNA. This information will fuel advances in biology for at least the next century. In a virtuous cycle, the more we learn, the more we will be able to extrapolate and hypothesize and understand.

(320w)

IX 新聞記事——文化　　easy

書評，映画評，アート，エンタテイメントなどの文化関連の記事は，社会・経済などの記事より難解です。ニュースのように即時性が要求されないため，ライターが時間をかけて凝った文章を練り上げるためです。

◆実際に訳してみよう！

日本でも大人気のディズニーランドはマーケティングの世界でも伝説的な企業。ポップカルチャーの柱の一つとして，あらゆる分野でとりあげられるので，決してあなどれません。ディズニーらしく，楽しい雰囲気に訳すことも忘れずに。

例題

Come to Disney, go to Mars
By STEVEN L. KENT
The Japan Times, Thursday, Nov. 13, 2003

　　Mission: Space, a new ride/space flight simulator at Epcot Center, part of the Walt Disney World Resort in Florida, takes Disney guests in a whole new direction—straight up into space.
　　The byproduct of a partnership between computer giant Hewlett Packard and Disney, Mission: Space cost approximately $ 100 million to construct, making it one of the most expensive attractions at the world-famous theme park. It is also the most technologically

advanced attraction.

　　Before entering Mission: Space, you are shown a video with actor Gary Sinise ("Forest Gump," "American Beauty") as a NASA instructor preparing participants for a space flight. Seeing Sinise in his NASA duds is as natural as can be. Having also appeared in the movies "Apollo 13" and "Mission to Mars," Sinise is one of America's best known astronauts—even if his only space time actually took place in a Hollywood sound stage.

Point 1：Disney guests——お客様をゲスト，スタッフをキャストと呼ぶのはディズニー特有の用語。

Point 2：the world-famous theme park は the を使った言い換えで，Epcot Center を指す。

Point 3：Before entering Mission: Space ... 以下のセンテンスは順送りの訳で訳すとよいでしょう。

Point 4：as ... as can be はイディオム。「最高に～である」

Point 5：sound stage は映画の撮影用スタジオのこと。専門用語のフレーズ表現（P38⑤）は見逃しがちなので注意しましょう。

Point 6：「ミッション・スペース」「ヒューレット・パッカード」「ミッション・トゥ・マーズ」など，カタカナ語の名詞に「・」（中点）を入れるかどうか迷うことがあるかもしれません。一つの単語として定着しているものは中点を入れず（メールマガジン，ロックバンドなど），長いものは入れることが多いようです。要は一定の方針をたてて，一貫性が保たれていればよいのです。

試訳

　ディズニーワールド（フロリダ州）にあるエプコット・センターの新アトラクション，宇宙旅行をシミュレーションした「ミッション・スペース」は，ゲストを宇宙という新しい世界へ運んでくれる。
　コンピュータ大手ヒューレット・パッカードとディズニーの提携から生まれた「ミッション・スペース」の建設費は約1億ドルと，世界的に有名なこ

のテーマパークでも最も高価なアトラクションの一つとなっている。また技術的にも最先端のアトラクションである。

「ミッション・スペース」に乗り込む前に見せられるビデオには，俳優のゲイリー・シニーズ（『フォレスト・ガンプ／一期一会』『アメリカン・ビューティー』）がNASAのインストラクターとして登場，乗客に宇宙旅行への心構えを説く。NASAの制服姿のシニーズはいかにもはまり役。『アポロ13』や『ミッション・トゥ・マーズ』などに出演しているシニーズはアメリカで最も有名な宇宙飛行士のひとり——もちろん彼の場合，宇宙旅行はもっぱらハリウッドのスタジオ内での話だが。

◆練習問題◆

例題の続きです。長いのでグループ訳にしてもよいでしょう。

> The video includes an ominous list of "don'ts." After welcoming visitors aboard, Sinise proceeds to say that anyone who is bothered by motion sickness should not go on the mission. Those who are bothered by enclosed areas should not go on the mission. Pregnant woman should not go on the mission. (He might well have added that those who have recently eaten raw oysters should step out.)
>
> Having sobered their remaining guests, the crew running Mission: Space next divides them into teams of four with each member being assigned a title; pilot, engineer, commander, navigator. The teams are then shown one final video with Sinise and loaded into their "spacecraft."
>
> Mission: Space vessels are nothing short of amazingly authentic-looking cockpits. They are four seats across and are pressed beneath a long console with buttons, joysticks and view window. The console pins the rider in his/her chair like the harness on a roller coaster.
>
> If the overall mood of Mission: Space was ominous before you entered the spacecraft, it gets downright threatening once you're locked in your seat. The console slides forward, pinning you in place, and you are reminded not to close your eyes or look to the side.
>
> The reason for this is simple; Disney is about to take you for

a spin. The spacecraft in Mission: Space are attached to a centrifuge. Eschewing the "bumping cart" mechanics long in use for other virtual reality rides, Disney and Hewlett Packard employed a very expensive technology that can accurately simulate the yaw, pitch and G forces that astronauts experience as they fly into space.

Staring straight ahead into a monitor showing the thinning atmosphere, you feel your cheeks pulled back. You feel the world shake around you. What you do not feel, at least not consciously, is that you are spinning. The shaking and monitor create a strong illusion of moving forward, an illusion that supposedly vanishes should you look to the side or shut your eyes.

The monitor shows you leaving the atmosphere, flying through meteors and eventually landing on Mars. In the interim, guests are given flight duties. That translates into pressing two buttons on the console beside the monitor at certain times within the ride. The buttons do not actually make anything happen and Mission: Space will override the guest and light the buttons automatically should the guest not press them. Even so, this little piece of hocus pocus adds a small shred of interactivity to the experience.

This may be anecdotal, but the majority of guests I spoke with all had a similar experience. They were reaching Mars and started to think, "Geez, if I have to ride this thing back to Earth, I'm not going to make it."

Even with guests staring forward carefully trying to immerse themselves into the illusion of space flight, the feeling of nausea creeps in. You are, after all, spinning around in circles at a very fast speed.

The good news, folks, is that this is a one-way trip. You land on Mars and Sinise appears again and congratulates you for a successful mission, even if you did not press the buttons yourself. A one-way ticket to Mars never sounded so good.

Guests then file out of their spacecraft, some white, some green, some ready to get right back on for another shot at Mars. In the end, Mission: Space is more impressive than fun. It simply has to be the most technologically advanced theme park attraction going, combining the high-tech visuals of a virtual reality ride with the smooth mechanics of a centrifuge.

　　　　There is very little roller coaster thrill to Mission: Space, but that is not the intention; this is an education, a simulation, an experience. That said, Mission: Space stands out as one of only attractions to offer any thrill in Epcot Center, the other being Test Track.

(641w)

X　新聞記事——経済　　easy

経済関係の翻訳で数字のミスは致命的です。必ず見直してください。収益と純益の違いなど，経済学の基礎知識も抑えておきましょう。最初のうちはグロサリーをつくるとよいでしょう。

〔数字に関係する表現〕

a revenue growth of 10 percent	10％の収益の伸び
more than double the result of the previous year	前年比で2倍以上
increase (by) 10 percent	10％増加する（byがつくと増減の幅を強調）
an increase of 10 percent	10％の増加（ofは同格）
increase from 5 percent to 10 percent	5％から10％へ増加する
100 kg or more	100キログラム以上
over 100 kg	100キログラムを超える（100キログラムを含まず）
100 kg or less	100キログラム以下
less than 100 kg	100キログラム未満（100キログラムを含まず）
range from $1,000 to $2,000	1000ドルから2000ドルの範囲に及ぶ
a couple	2つ（ないし数個）
a dozen / dozens of	12／数十の，多数の

◆実際に訳してみよう！

日本の鉄鋼メーカーに関する新聞記事です。経済用語を日本語ではどういうか，またmillionやbillionなどの日英の単位の換算にも注意。

例 題

Nippon Steel, JFE Raise First-Half Profit Forecasts

By Julie Tay and Hiromi Horie
Bloomberg, Sep. 8, 2005

　　　　Nippon Steel Corp. and JFE Holdings Inc., Asia's two largest steel producers, raised their first-half profit forecasts after increasing steel prices for shipbuilders and carmakers.
　　　　Nippon Steel's group net income will increase to 180 billion yen ($1.6 billion) in the six months ending Sept. 30, from an April forecast of 130 billion yen, the Tokyo-based company said today in a statement. That beat the 140 billion yen median estimate of three analysts. Rival JFE raised its first-half forecast by 7 percent to 150 billion yen.
　　　　Surging demand for high-quality steel from automakers such as Toyota Motor Corp. is helping Nippon Steel President Akio Mimura and JFE's Fumio Sudo raise profits in the face of record raw material costs. A glut of Chinese construction steel is also prompting both companies to shift away from these products.

Point 1：Tokyo-basedのbasedは企業の本社の所在を示します。

Point 2：todayは具体的な日付に変える（P 137, Point 3 参照）。

Point 3：Surging demand ... 以下は無生物主語＋他動詞の構文。ここではNippon Steel President ... 以下を主語に転換して訳してみましょう。

試訳

　アジアの2大鉄鋼メーカー，新日本製鐵とJFEホールディングスは，造船・自動車向け鉄鋼価格を引き上げた後，上半期の利益見通しを上方修正した。

　新日本製鐵（本社・東京）は8日，05年上半期のグループ純益予想を，4月時点での1300億円から1800億円（16億ドル）に引き上げると発表した。これはアナリスト3人の平均予測1400億円を上回った。ライバルのJFEも上半期の利益見通しを7％増の1500億円に引き上げた。

　トヨタなど自動車メーカーからの高質鉄鋼需要増のおかげで，新日本製鐵の三村明夫社長とJFEの數土文夫社長は，記録的な原材料費の高騰にもかかわらず，利益予測を引き上げることができた。建設用鋼材については，中国製品の供給過剰で両社ともこの分野から撤退しつつある。

◆練習問題◆

例題の続きです。長めなので，グループで訳してもよいでしょう。

　"Steelmakers are maintaining high margins as they have been able to pass on increases in costs," said Mitsushige Akino, who manages $190 million in assets at Ichiyoshi Investment Management in Tokyo. "As domestic demand will continue to be strong, there is room for further increases in profit."

Shipbuilders

　Shares of Nippon Steel fell 5 yen, or 1.5 percent, to close at 333 yen on the Tokyo Stock Exchange. Shares of JFE Holdings fell 60 yen, or 1.9 percent, to 3,180 yen. JFE's shares had risen 16 percent in the month to Sept. 5 and Nippon Steel's shares had risen 24 percent.

　"Steelmakers are down because the upward revisions have been fully anticipated in the market," said P. Winston Barnes and Nick Demopoulos, traders at Mitsubishi Securities Co. in Tokyo, in a note. "We're recommending investors to lock in their profits made from the recent rally."

　Nippon Steel increased its full-year profit estimate to 310 billion yen, from its previous forecast of 265 billion yen while JFE kept its full-year profit forecast unchanged at 290 billion yen.

Nippon Steel lowered its first-half sales forecast to 1.84 trillion yen, from its earlier estimate of 1.88 trillion yen, because of a cut in production of lower-grade products and stainless steel, Nobuyoshi Fujiwara, executive vice president of the company said today.

'Product Mix'

JFE kept its sales forecast unchanged at 1.45 billion yen. This year, JFE will produce about 1 million ton less steel than last year's 31.28 million tons on a consolidated basis.

"We have to cut production and adjust our product mix to what we do better," said Toshikuni Yamazaki, JFE's executive vice president. "If we lower prices, people will wait for prices to fall more before they buy. Supporting prices is our priority."

Nippon Steel and JFE increased contract prices to Toyota and other automakers by 10,000 yen a ton in the fiscal year started April. They also raised prices paid by shipbuilders by 5,000 yen a ton in the six months starting Oct. 1, in addition to a 10,000 yen- increase decided earlier this year, the Japan Metal Daily said earlier this week.

Sales of these types of high-grade steel are helping Nippon Steel and JFE avoid the affect of a decline in global steel prices.

Higher exports from China, which raised output of the alloy by 28 percent in the first half of this year, have contributed to a drop in European prices for hot-rolled steel coil by about one-third this year.

JFE today said average prices for its steel in the first-half increased to 75,000 yen per ton from 57,700 yen in the same period a year ago. Nippon Steel's prices rose to 72,000 yen from 58,100 yen.

JFE Steel Corp., JFE Holdings' steel unit and most profitable business, accounts for 86 percent of the company's consolidated sales and 98 percent of operating profit. Sudo was promoted to President of JFE Holdings in April after heading the steel unit for two years.

Sumitomo, Kobe

"Prices are high, things are going well for them," Yoshinori

Koida at Societe Generale Asset Management (Japan) Co. said before the companies released their forecasts today.

Sumitomo Metal Industries Ltd., the world's largest maker of high-grade steel pipes used in oil production, had the biggest percentage increase in profit among the four blast-furnace steelmakers revising estimates today on buoyant demand for its tubes from oil producers.

The Osaka-based company raised net income by 60 percent to 72 billion yen in the six months ending Sept. 30, up from a May forecast of 45 billion yen. Sumitomo also increased its sales forecast to 710 billion yen, from 690 billion yen.

Kobe Steel Ltd., Japan's fourth-largest steelmaker, kept its first-half profit forecast unchanged at 28 billion yen as it took extraordinary losses for real estate write-down and for a fire at its Kakogawa mill in Hyogo prefecture.

Sumitomo shares fell 5 yen, or 1.8 percent, to close at 272 yen while Kobe dropped 8 yen, or 2.9 percent, to 265 yen.

Apart from Sumitomo Metal, which said it is paying a 5 yen first-half dividend, the other steelmakers are only paying a full-year dividend. JFE may pay a full-year dividend of about 80 yen, up from 45 yen last year.

(714w)

XI 電子ジャーナル——科学　medium

電子ジャーナルは紙媒体でなく，インターネット上で発行されている雑誌のこと。学術雑誌，政府広報，福祉関連などが多く，無料で閲覧することができます。

◆実際に訳してみよう！

専門家が一般向けにナノテクノロジーの基本を解説した電子ジャーナルの記

事です。さほど難しい内容ではありません。ナノテクノロジーの基礎知識を頭に入れてから訳しましょう。

例題

Whither Nanotechnology?
By Akhlesh Lakhtakia
In "The Promise of Biotechnology"
An Electronic Journal of the U.S. Department of State, October 2005

"Think small, dream big" is a typical slogan about the promise of nanotechnology within the scientific research community. Once relegated to pure fiction, nanotechnology is becoming increasingly linked with advances in biotechnology and information technology. With annual expenditure for nanotechnology research in the United States estimated to be in excess of $2.6 billion in 2004, the word "nano" is even finding its way into popular culture, from daily horoscopes to newspaper cartoons.

Yet the relatively small number of applications that have made it through to industrial uses represent "evolutionary rather than revolutionary advances," according to a 2004 panel report from the Royal Society of London and the Royal Academy of Engineering.

Point 1：Think small, dream bigは言葉遊びなので，可能なら原文のニュアンスを残しましょう。試訳のようにカタカナ語を使ってもよいし，「思考は小さく，夢は大きく（Think small, dream big）」と元の綴りを入れて訳してもよいでしょう。ただし縦書きのメディア向けの翻訳には英文は入れにくいことを忘れずに。

Point 2：biotechnologyは辞書には「生物工学」という訳もありますが，現在では「バイオテクノロジー」のほうが圧倒的に多く使われます。グーグル検索で比較してみましょう。

Point 3：yetは「いまだに」と訳しがちですが，書き言葉ではbutと同じ意味に使われることがよくあります。butとの違いは微妙ですが，yetのほうが

対比がやや強調されます。

試訳

「シンク・スモール・ドリーム・ビッグ（思考は小さく，夢は大きく）」とは，科学者の間でナノテクノロジーの将来性を示すのによく使われるスローガンだ。かつては夢物語でしかなかったナノテクノロジーだが，最近はバイオテクノロジーや情報テクノロジーの先端技術と結びつけられることが増えている。アメリカでナノテクノロジー研究に投じられる資金は，2004年には年間26億ドルを上回ったと見られており，「ナノ」という言葉が星占いから新聞漫画にいたる大衆文化にさえ浸透しつつある。

だがロンドン王立協会と英国王立工学アカデミーが発行した04年のパネル報告によれば，産業用途への応用例は比較的少ない。これは，ナノテクが「革命的というより漸進的」進歩にとどまっていることを示すものである。

◆練習問題◆

例題の続きです。訳してみましょう。

Nanotechnology is not a single process; neither does it involve a specific type of material. Instead, the term nanotechnology covers all aspects of the production of devices and systems by manipulating matter at the nanoscale.

Take an inch-long piece of thread and chop it into 25 pieces, and then chop one of those pieces into a million smaller pieces. Those itty-bitty pieces are about one nanometer long. The ability to manipulate matter and processes at the nanoscale undoubtedly exists in many academic and industrial laboratories. At least one relevant dimension must lie between 1 and 100 nanometers, according to the definition of nanoscale by the U.S. National Research Council. Ultra-thin coatings have one nanoscale dimension, and nanowires and nanotubes have two such dimensions, whereas all three dimensions of nanoparticles are at the nanoscale.

Nanotechnology is being classified into three types. The industrial use of nanoparticles in automobile paints and cosmetics exemplifies incremental nanotechnology. Nanoscale sensors exploiting the fluorescent properties of disks called quantum dots (which are 2 to 10 nanometers in diameter) and electrical properties of carbon nanotubes (which are 1 to 100 nanometers in diameter) represent evolutionary nanotechnology, but their development is still in the embryonic stage. Radical nanotechnology, the stuff of science-fiction thrillers, is nowhere on the technological horizon.

Material properties at the nanoscale differ from those in bulk because of extremely large surface areas per unit volume at the nanoscale. Quantum effects also come into play at the nanoscale. Nanoscale properties and effects should transform current practices in integrated electronics, optoelectronics, and medicine. But the translation from the laboratory to mass manufacturing is fraught with significant challenges, and reliable manipulation of matter at the nanoscale in a desirable manner remains very difficult to implement economically. And very little data exist on the health hazards of nanotechnology.

Nanotechnology is emerging at a crucial stage of our civilization. A remarkable convergence of nanotechnology, biotechnology, and information technology is occurring. Some of the extremely pleasant prospects of their symbiosis, among others, are new medical treatments, both preventive and curative; monitoring systems for buildings, dams, ships, aircraft, and other structures vulnerable to natural calamities and terrorist acts; and energy-efficient production systems that produce very little waste.

The convergence of the three technologies is to be expected. Protein molecules such as kinesin are being developed to transport cargo molecules over distances on the order of a millimeter on silicon wafers for eventual use in smart nanosensor systems and molecular manufacturing systems. Cells, bacteria, and viruses are being used to manufacture complex templates to precipitate medically useful molecules without producing medically harmful molecules in pharmaceutical factories. Nanotechnology also is being used to fabricate laboratories-on-a-chip to carry out tests of biological fluids, with the data being optically accessed and electronically stored and processed. Nano drug delivery systems are expected to be used inside living organisms to modify specific biological functions, for example, to develop or boost immunities against specific pathogens.

The convergence also makes urgent the need for better regulation and oversight. With most of the work being conducted under governmental auspices, citizen watchdog groups and nongovernmental organizations, as well as private-sector scientific panels, must be given greater authority to oversee this research. At the same time, laws must be formulated to guide the conduct of individuals in charge of government programs and private contractors on nanotechnology.

Nanotechnology today is probably like Mozart when he was five years old: bursting with promise, with the best yet to come after a few years of nurturance.

(589w)

XII 電子ジャーナル ── 文化　medium

◆実際に訳してみよう！

韓国系アメリカ人作家についての記事です。文学関連の記事や書評は難解なものが多いのですが，この文章はそれほど難しくはありません。文化の香りをそこなわないように訳してください。

例題

Chang-Rae Lee—The Cast of his Belonging
By Michael J. Bandler
In "Contemporary U.S. Literature: Multicultural Perspectives"
Electronic Journal of the Department of State, Vol. 5, No. 1, February 2000

For Chang-rae Lee, it all began with his father.
"My father came first," the lauded Korean American novelist

said in a recent New York Times interview, describing <u>his</u> family's migration to the United States slightly more than 30 years ago.

　　　　Everything else—transit eastward to a new world with his mother and <u>sister</u>, boundless educational opportunities at private schools and Yale University, the decision to forsake a promising financial career to fulfill his creative impulses as a writer, his well-received first two novels, his naming by The New Yorker magazine as one of the 20 most promising writers for the 21st century, and the sheaf of other honors he has attained—followed the choice his father made. (The older Lee was a physician in Korea; he became a psychiatrist in the United States after learning English.) And Lee has accomplished all of this before his middle 30s.

Point 1：新聞や雑誌の記事では，内容の裏付けとして当事者や関係者のインタビューを交えることが多く，セリフ部分をどう訳すかは翻訳のポイントの一つです。文芸翻訳などでは，「〜と彼は言った」の繰り返しを避け，「と」を入れずに訳したり，文脈から誰が語っているかが明らかな場合は伝達部 (he said ..., she saidの部分) をまるごと省略してしまうことも少なくありません (敬語や男女言葉のある日本語と違い，英語は伝達部によって話者を明示する必要があります。基礎編 P 49 参照)。英語では話し手が交替するたびに改行する (したがって同じ段落内の話し手は同一) というルールがあることも覚えておきましょう。

Point 2：he, she, his, herなどの人称代名詞を省略すると，日本語の文章として自然になります (基礎編 P 59 「日本語の結束性」参照)。試訳ではhis family's migrationのhisを省略してみました。省略しても，彼の一家であることがはっきりわかります。

Point 3：sisterやbrotherは英語から日本語に訳すときの大問題の一つ。テクスト全体を読んで，どこか別の箇所に姉妹，兄弟の区別が書いてないかを調べたり，インターネットなどを使って事実関係を調べたりするしか方法がありません。ここではやむをえず「姉妹」としましたが，これだと女のきょうだいが複数いる印象を与えてしまいます。

試訳

　チャンネ・リーにとって、すべては父親から始まった。

　「最初に（アメリカに）やってきたのは父だった」評価の高い韓国系アメリカ人の作家リーは、最近行われたニューヨーク・タイムズ紙のインタビューでこう語っている。一家がアメリカに移り住んだのは30年余り前のことだという。

　それ以外のこと——母や姉とともに新世界を目指して東へ向かったこと、私立学校やイエール大学で思う存分、教育を受けられたこと、将来有望な金融マンの道を捨て、作家としての創作意欲に従う決心をしたこと、最初の2作が好評だったこと、ニューヨーカー誌から21世紀で最も有望な作家20人の一人に選ばれたこと、そしてその他の受賞歴など——はすべて父の決断から生まれた（リーの父は韓国では内科医だったが、アメリカで英語を学んだあと精神科医になった）。そしてリーは、これらすべてのことを30代半ばまでに達成した。

◆練習問題◆

例題の続きです。訳してみましょう。

> 　　　　Lee's 1995 debut novel, *Native Speaker*, gained the young author—then under 30—the prestigious Hemingway Foundation/PEN Award for a first novel. It focused on a Korean immigrant's son who works as a privately employed corporate spy, wrestles with an imperiled marriage and the death of a son, and becomes involved in political intrigue. His estranged wife describes him as politically and emotionally alien, and he is, truthfully, a man living in two worlds yet belonging to neither of them.
>
> 　　　　Gish Jen, herself a rising Asian American writer, called *Native Speaker* "beautifully crafted, enlightening and heart-wrenching… a brilliant debut and a tremendous contribution to Asian American literature." The New York Times Book Review hailed it as "rapturous." And the attention and awards began to flow his way.
>
> 　　　　The book was quite an accomplishment for a writer who has acknowledged, in a number of interviews, the overwhelming power of the word for him. "Word choices are life and death for me," he told

Newsday in September 1999, noting that until he entered grade school, he spoke only Korean. "Over the course of two years, I went from one language, lost it, and picked up another." As flawless and as lyrical as his writing is, he still fears that he isn't using English correctly.

Yet he prevails. His most recent book is *A Gesture Life*. Published in the fall of 1999, it presents, again, an outsider as protagonist. Told in two timeframes, it introduces readers to Franklin Hata, a Japanese-American of Korean birth, who is carving out a life for himself as a pharmacist in suburbia in the postwar years, albeit amidst family tensions. But there is another side to his history—his service as a medical officer during World War II that entangled him in some of that era's horrors. And as the two facets of his experience come together, the two worlds of the immigrant do as well.

"There is something exemplary to the sensation of near perfect lightness," Hata observes of his state, "of being in a place and not being there, which seems of course a chronic condition of my life but then, too, its everyday unction, the trouble finding a remedy but not quite a cure, so that the problem naturally proliferates until it has become you through and through. Such is the cast of my belonging, molding to whatever is at hand."

This time, critics were even stronger in praising his work. The New York Times' Michiko Kakutani called the novel "wise and humane," and Leslie Brody, in the Los Angeles Times Book Review, described Lee as "an original."

Today, as he directs the master of fine arts program at Hunter College, part of the City University of New York, he is working on his third novel, set among a group of U.S. soldiers in Korea during the war there. For him, he says, it represents an opportunity to consider anew people who find themselves in places possibly not of their own choosing, and who must determine how to make a life there for a period of time. It represents for him, he told a New York Times interviewer, "that feeling of both citizenship and exile, of always being an expatriate —with all the attendant problems and complications and delight."

(543w)

XIII 新聞記事——科学　　easy

科学，医療，法律，ITなどの専門文書の翻訳は，第1に背景知識を頭に入れることが条件。背景知識がなくても訳せると思うのは，大きな間違いです。第2に専門用語を正しく訳すこと。最初にざっと読みながら専門用語に印をつけ，グロサリー（入門編P18）をつくってもよいでしょう。

◆実際に訳してみよう！

おなじみの家庭薬アスピリンの効能が見直されている，という内容の新聞記事です。さほど専門的な内容ではありませんが，医療に関する基本的な用語が網羅されています。日本でも通用する医学用語（定訳）を選ぶことを目標にしてください。

例題

New miracles from the 'first miracle drug'
By SUMIKO OSHIMA
The Japan Times, Monday, Jan. 15, 2001

　　　　　Aspirin for people in Western countries is something more than Seirogan, the most popular household digestive medicine in Japan.
　　　　　Popped in the mouth, the popular antipyretic and painkiller has helped people feel better—possibly even better than they should from the drug's physiological effects alone, since its reputation enhances expectations.
　　　　　For the past 100 years, the chemical acetylsalicylic acid has been called a miracle drug, with powerful results in combating pain and fever. In addition to being known throughout the world, it has even gone into space—American astronauts took it to relieve pain during the historic first flight to the moon.
　　　　　The drug won further praise in recent years when researchers found another intriguing effect: In small doses, it inhibits blood clotting.

Point 1：West, Westernの訳は文脈によって「西欧（西ヨーロッパ）」であったり、「欧米」であったりします。この場合は「欧米」でよいでしょう。「西洋」は少し古めかしい表現になります。

Point 2：its reputation enhances expectationsのreputationは品詞転換のテクニックを使い、名詞を動詞 (the fact that it is reputed) に読み変えて訳してみましょう。

Point 3：化学アセチルサリチル酸the chemical acetylsalicylic acidはアスピリンの別名。theを使った言い換えで、訳ではアスピリンを指していることをどこかで明示しましょう。

Point 4：miracle drugは「奇跡の薬」と訳すのが正攻法ですが、「ミラクルドラッグ」とすることよりインパクトが出ます。カタカナ語は意味があいまいになるので、情報としての価値が高まるのです。

Point 5：gone into spaceを辞書通り「宇宙に行く」と訳さないこと。「宇宙に〇〇」の〇〇の部分に、日本語としてより自然なコロケーションとなる動詞は何か、グーグル検索で調べてみましょう。

Point 6：gone into spaceのあとのダッシュ (–) は情報を補足する働きがあります。補足説明であることを示すには、試訳で使った「のだ」「のである」が便利です。「のだ」「のである」はいったん情報を自分の中に取り込んでから外に発する（納得して発言する）という働きがあり、因果関係を示すことができます。その反面、「のだ」「のである」を使うと理屈が通っているような錯覚が得られるため、難解な英文を訳すときなどに乱用しがちです。書き手の心的態度を示す表現なので、乱用するとうっとうしく感じられます。

Point 7：The drug won further praiseは無生物主語＋他動詞の例です（P 35）。

Point 8：intriguing effectのあとのコロン（：）はイコールの意味です。試訳では「効果」という言葉を補ってイコールの意味を表現しました。

実践編｜英日翻訳

試 訳

　欧米人にとって，アスピリンは日本で最も有名な家庭用胃腸薬「正露丸」以上のものである。
　誰もが知っているこの解熱・鎮痛剤を飲めば気分はすっきり——ひょっとしたら，生理学上の効果以上に気分がよくなるかもしれない。評判が高い分，期待も高まるからだ。
　過去100年，化学アセチルサリチル酸（アスピリン）は，その強力な鎮痛・解熱効果から，ミラクルドラッグと呼ばれてきた。世界中に知られているだけでなく，宇宙にも進出した。歴史的な最初の月旅行の際，アメリカの宇宙飛行士たちは鎮痛剤としてアスピリンを服用したのだ。
　研究者が驚くべき新効果を発見したことで，アスピリンの評価は近年，ますます高まっている。少量なら血栓を防ぐという効果だ。

◆練習問題◆

例題の続きです。訳してみましょう。

　　　　Compared with the United States and other Western countries, Japan seems to have been much less enthusiastic about aspirin's beneficial effects. Things may soon change, however.
　　　　Following last fall's government decision to officially approve the use of aspirin against blood clots, pharmaceutical giant Bayer AG's Japanese affiliate Bayer Yakuhin Ltd. will this month kick off the sale of small-dose aspirin pills. (The word "aspirin" was originally a brand name owned by Bayer.)
　　　　In Japan, the most popular aspirin brand has long been Bufferin, marketed by detergent manufacturer Lion Corp.
　　　　The potent painkiller achieves its effects by preventing the production of prostaglandins, a group of hormone-like chemicals that trigger pain and inflammation when tissues are damaged.
　　　　Involved in numerous chemical reactions in the body, prostaglandins also regulate the activities of blood platelets, which stop bleeding by forming blood clots. This process becomes harmful if a blood clot plugs a blood vessel.
　　　　Small doses of aspirin thus help control the work of platelets,

preventing blood clots from forming in the blood vessels of people whose arteries are already narrowed, and reducing the chance of heart attacks and strokes.

This effect on blood clotting is not confirmed in other popular painkillers, such as ibuprofen and acetaminophen.

A large number of studies have confirmed the beneficial effects of aspirin in fighting blood clots. In a landmark study in 1994, which analyzed 300 clinical trials involving 140,000 subjects, researchers confirmed aspirin reduces the risk of heart attacks and strokes by 25 percent among high-risk patients who have a history of these diseases. Based on these results, U.S. and European governments issued guidelines for prescribing aspirin to prevent blood clotting.

Japanese doctors have also used aspirin for the same purpose. According to Lion, the sales of its 81-mg aspirin product increased by 20 percent per year during the 1990s. A survey conducted last August by Yukito Shinohara at Tokai University found that 90 percent of physicians in Japan already use aspirin against blood clotting.

The Japanese government, however, did not officially recognize this use until last November, when it sanctioned the use of aspirin against blood-clot risk in patients with a history of heart attacks, strokes and other vascular conditions.

About 1.4 million patients with history of heart attacks and strokes are estimated to take aspirin pills daily, and the number will double soon, according to experts.

Cutthroat competition for the 5 billion yen market has already begun.

"Having a 95 percent share of the prescribed aspirin market, we are now determined to make more efforts to provide proper information to medical experts," said Haruo Iwasaki, deputy executive general manager of Lion's pharmaceutical division. Following the government's decision, Lion changed its product label from Children's Bufferin to Bufferin 81 mg.

Bayer is entering the Japanese prescription drug market with its Byaspirin, a product containing 100 mg of the agent. Bayer, whose aspirin is designed to dissolve in the intestine to reduce adverse effects to the stomach, says the efficacy of the product, sold in 41 countries over the world, is confirmed by large amounts of clinical data.

"The evidence of conclusive megatrials in the world is mostly demonstrated with our type of pills," said Hisatake Fujita, public relations officer at Bayer Yakuhin. "We believe our product is the best aspirin pill [for preventing blood clots]."

According to the company, side effects such as stomach upsets are found only in 2.7 percent of Byaspirin users, far fewer than among Bufferin users, at 13.6 percent.

However, Lion, which has enjoyed almost a monopoly on Japan's low-dose aspirin market, claims its product is quickly effective, and the risk of side effects is no higher than Bayer's aspirin.

"Everybody knows Bufferin, and thousands of doctors have been using our product in Japan. That's our strength," said Lion spokeswoman Yoko Koike.

In other countries, particularly in the U.S., healthy people regularly take a low-dose aspirin pill in the hope of preventing vascular diseases, apparently influenced by newspaper and magazine reports that aspirin reduces the chances of heart attacks and strokes.

Other studies have suggested preventive effects on other diseases, such as migraine headaches, colon cancer, pregnancy complications, even Alzheimer's and senile dementia.

Doctors now largely agree that these media reports were overhyped, since the pill did not affect the overall mortality rate from cardiovascular disease, and those taking aspirin even showed a slightly higher risk of bleeding in the brain and in the stomach.

Some doctors recommend that people over 40 take aspirin daily. But people should not misuse the drug, since no uses of aspirin have been shown to be absolutely safe and effective, Shinohara warns.

"It's true that aspirin has various intriguing effects, but it's not a cure-all," Shinohara said, stressing that people should consult with a doctor before regularly taking aspirin.

(793w)

XIV 国際機関の文書――行政　easy

国際機関などの行政関係の文書や法律関連の文書は，感情を交えずに事実・論理を述べたものなので，直訳的に訳す必要があります。特有の表現も多いので，専門の辞書などを使い，関係者が読んでもおかしくない訳語を選びましょう。

◆実際に訳してみよう！

ネットジャーナルに掲載された，OECD（経済協力開発機構）の文書のサマリーです。内容はcorporate governanceの概念について，世界中の政府・関係機関に示したガイドラインです。Corporate governance, shareholder, stakeholder, board memberなどの経営用語に正しい訳をあててください。

例題

Key OECD principles of corporate governance

In "Promoting Growth through Corporate Governance"
An Electronic Journal of the U.S. Department of State, February 2005

I. Ensuring the basis for an effective corporate governance framework

The corporate governance framework should promote transparent and efficient markets, be consistent with the rule of law and clearly articulate the division of responsibilities among different supervisory, regulatory and enforcement authorities.

II. The rights of shareholders and key ownership functions

The corporate governance framework should protect and facilitate the exercise of shareholders' rights.

III. The equitable treatment of shareholders

The corporate governance framework should ensure the equitable

> treatment of all shareholders, including minority and foreign shareholders. All shareholders should have the opportunity to obtain effective redress for violation of their rights.

Point 1：行政・法律関係の翻訳は正しい用語を選び，原文に忠実に訳すこと。用語に関してはグロサリーを作成して，訳語の統一をはかるとよい。

試訳

(1) 効果的なコーポレート・ガバナンスの枠組みの基礎を築く
　コーポレート・ガバナンスの枠組みは，透明かつ効果的な市場を振興し，法の支配と一致し，さまざまな監督・規制・執行当局の責任分担を明確にするものであるべきである。
(2) 株主の権利と主たる所有権益
　コーポレート・ガバナンスの枠組みは，株主の権利の行使を保護し，促進するものであるべきである。
(3) 株主の公正な待遇
　コーポレート・ガバナンスの枠組みは，少数株主や外国人株主を含むすべての株主に対して公正な待遇を保証するものであるべきである。すべての株主は，権利の侵害に対して効果的な補償を得る機会を付与されるべきである。

◆練習問題◆

例題の続きです。訳してみましょう。

> IV. The role of stakeholders in corporate governance
>
> The corporate governance framework should recognize the rights of stakeholders established by law or through mutual agreements and encourage active co-operation between corporations and stakeholders in creating wealth, jobs, and the sustainability of financially sound enterprises.
>
> V. Disclosure and transparency
>
> The corporate governance framework should ensure that timely and

accurate disclosure is made on all material matters regarding the corporation, including the financial situation, performance, ownership, and governance of the company.

VI. The responsibilities of the board

The corporate governance framework should ensure the strategic guidance of the company, the effective monitoring of management by the board, and the board's accountability to the company and the shareholders.

(115w)

XV 専門誌──科学　difficult

科学専門誌*Nature*の記事をとりあげます。*Nature*の読者(audience)は企業の研究機関や大学などの専門家であり，高度な内容を紹介していますが，一般向けのコラムもあり，科学技術分野の翻訳の入門としてはぴったりの素材です。

◆実際に訳してみよう！

*Nature*誌の連載の一つで，世界中の興味深い論文を紹介するJournal Clubというコラムです。短いけれど，学術論文に特有の脚注や略号なども使われていて，かなり専門性の高い文章です。内容への理解力が試される例題です。

例題

Journal Club

By John Shepherd [1]
Nature 451, 749 (14 February 2008)

<u>An oceanographer sees potential</u> in accelerating rock weathering to soak up carbon dioxide from the air.

実践編｜英日翻訳

　　　With CO2 emissions increasing by more than 2% per year, rather than decreasing by the 3% or so needed to effectively mitigate climate change, I am not surprised that many scientists are seeking alternative solutions to simply cutting greenhouse-gas outputs.
　　　Various geoengineering schemes have been proposed — such as fertilizing the oceans with iron, a <u>limiting resource</u> for planktonic algae that take CO2 from the atmosphere — but these are unlikely to sequester large amounts of carbon in the long-term and may have serious ecological side effects. The <u>thermodynamics</u> of enhancing <u>geochemical weathering</u> look feasible, but the reactions are too slow to be really practicable.

Point 1：冒頭のAn oceanographer sees potential ...の1文はリードと呼ばれ，本文の冒頭で記事全体の内容を短くまとめている部分です。あとにつづく内容のヒントになると同時に，最後にもう一度見返して，本文の内容と齟齬がないようチェックすべきです。

Point 2：limiting resourceは「制限資源」，つまりここでは植物プランクトンの増殖に必要な栄養分という意味です。読者を専門家と想定するなら「制限資源である鉄分」のままで，一般向けなら「プランクトン性藻類の増殖に必要な鉄分」と訳すなど，工夫してください。

Point 3：geochemical weatheringは「地球化学的風化」，thermodynamicsは「熱力学」が辞書どおりの訳語ですが，そのまま「地球化学的風化をうながす熱力学」と訳すと意味不明になってしまいます。Thermodynamicsはエネルギーの有効活用や温暖化対策とも関連する学問分野（熱力学）であると同時に，そうした熱（エネルギー）の作用そのものも指します。この場合は陸地の鉱物（鉄）を海洋に移し，植物プランクトンを増やして二酸化炭素を吸収する……というエネルギー・サイクルのことを指していると思われます。試訳ではその意味を盛り込むため，「熱力学」ではなく「エネルギー活用法」という訳語を使っています。

■ 試 訳

　海洋学者である本稿筆者は，岩石の化学的風化作用によって空気中の二酸

化炭素を吸収する方法に可能性を見る。

　二酸化炭素の排出は，気候変動を効果的に抑制するのに必要な年3％の減少どころか，年2％の割合で増えつづけている。多くの科学者が排出された温室効果ガスを直接削減するだけでなく，それ以外の対策を模索しているのも当然のことだ。

　さまざまなジオ・エンジニアリング（地球工学）の方法が提案されている。例えば大気中の二酸化炭素を吸収するプランクトン性藻類の制限資源である鉄分を海中に供給するなどである。しかしこうした方法では大量の二酸化炭素を長期にわたって吸収することはできず，生態系への重大な副作用もありえる。地球化学的風化を促すエネルギー活用法は，一見，実現可能に見えるが，反応が出るまでに時間がかかりすぎて実際には使えない。

◆練習問題◆

例題の続きです。訳してみましょう。

　　　　Geochemists and engineers at Harvard University in Massachusetts and Pennsylvania State University recently suggested a kinetically preferable idea. They propose using the electrolysis of sea water to produce sodium hydroxide and hydrochloric acid, in a variant of the well-known industrial 'chloralkali' process, (K. Z. House et al. Environ. Sci. Technol. 41, 8464–8470; doi:10.1021/es0701816 2007).

　　　　Sodium hydroxide could either be used to scrub CO2 directly from the air, producing sodium bicarbonate, which is neutral and could be discharged into the sea, or be pumped directly into the ocean, increasing sea water's alkalinity and so its ability to absorb CO2. The hydrochloric acid could be neutralized fairly easily, because it reacts rapidly with both carbonate and silicate rocks.

　　　　The scheme House et al. outline looks promising if it were operated using a solar or geothermal electricity source near a supply of basic rocks. A mid-ocean volcanic island would be good. And the environmental consequences of the scheme's discharges should be less severe than those of the ocean acidification that humans are already causing.

実践編｜英日翻訳

1. Tyndall Centre for Climate Change Research, NOC, Southampton, UK

(182w)

XVI　書籍——文化　difficult

書籍の訳は記事の訳よりはるかに分量が多く，その本全体のテーマや文体にも配慮しなければなりません。ここでは紙面の都合上，そのごく一部をとりあげます。

◆実際に訳してみよう！

Walter Paterという19世紀の美術評論家が書いたレオナルド・ダ・ヴィンチの評伝の一部です。昔の英文なので難度が高いこと，イタリア人の人名表記などをどうするかがポイントです。

Walter Pater

例題

Leonardo Da Vinci

by Walter Pater
In *The Renaissance: Studies in Art and Poetry* (1837)

　　　　　　His life has three divisions—thirty years at Florence, nearly twenty years at Milan, then nineteen years of wandering, till he sinks to rest under the protection of Francis the First at the Chateau de Clou. The dishonour of illegitimacy hangs over his birth. Piero Antonio, his father, was of a noble Florentine house, of Vinci in the Val d'Arno, and Leonardo, brought up delicately among the true children of that house, was the love-child of his youth, with the keen, puissant nature such children often have. We see him in his boyhood fascinating all men by his beauty, improvising music and songs, buying the caged birds and

> setting them free, as he walked the streets of Florence, fond of odd bright dresses and spirited horses.

Point 1：19世紀の文章なので，古めかしい表現が随所に見られます。現代ではtillの代わりにuntill，puissantの代わりにstrongを使うところでしょう。またdishonourというように，イギリス式の綴りになっていることにも注目しましょう。古いテクストの翻訳では，ニュアンスや背景が不明の場合が多いので，現代人である自分の解釈が正しいのかについて，より謙虚になるべきです。翻訳の目的にもよりますが，多少直訳調になったとしても，中立的に訳す気持ちで臨むとよいでしょう。

Point 2：レオナルド・ダ・ヴィンチの生涯について，ネットなどで基本的な事実を調べてから訳してください。

Point 3：ヨーロッパの固有名詞は，英語ではFlorence, Milan, Francisと英語読みしますが，日本語では原音に忠実にフィレンツェ，ミラノ，フランソワと表記します（逆に中国語の固有名詞は日本では日本語読み，英語は原音に忠実です）。

Point 4：フランソワ1世がフランス国王であることは，日本の読者のために補足しておいたほうがよいでしょう。

試訳

　彼の人生は3期に分かれる。30年間のフィレンツェ時代，20年近いミラノ時代，そして19年間の放浪時代だ。最後はフランス王フランソワ1世の庇護のもと，クルー城で永遠の眠りについた。彼の誕生には非嫡出の汚名がつきまとう。父ピエロ・アントーニオはアルノ渓谷ヴィンチ村出身のフィレンツェ貴族の出で，レオナルドは本妻の子どもたちとともに大事に育てられたが，ピエロが若い頃もうけた私生児であり，こうした子どもによくあるように鋭敏で強い性格の持ち主だった。少年時代はその美貌であらゆる人を魅了し，即興で音楽や歌を楽しみ，フィレンツェの街を散策中には籠の鳥を買って放してやり，派手な服装や気性の荒い馬を好んだ。

◆練習問題◆

例題の続きです。訳してみましょう。

> From his earliest years he designed many objects, and constructed models in relief, of which Vasari mentions some of women smiling. His father, pondering over this promise in the child, took him to the workshop of Andrea del Verrocchio, then the most famous artist in Florence. Beautiful objects lay about there—reliquaries, pyxes, silver images for the pope's chapel at Rome, strange fancy-work of the middle age, keeping odd company with fragments of antiquity, then but lately discovered. Another student Leonardo may have seen there—a lad into whose soul the level light and aerial illusions of Italian sunsets had passed, in after days famous as Perugino. Verrocchio was an artist of the earlier Florentine type, carver, painter, and worker in metals, in one; designer, not of pictures only, but of all things for sacred or household use, drinking-vessels, ambries, instruments of music, making them all fair to look upon, filling the common ways of life with the reflexion of some far-off brightness; and years of patience had refined his hand till his work was now sought after from distant places.
>
> It happened that Verrocchio was employed by the brethren of Vallombrosa to paint the Baptism of Christ, and Leonardo was allowed to finish an angel in the left-hand corner. It was one of those moments in which the progress of a great thing—here, that of the art of Italy—presses hard on the happiness of an individual, through whose discouragement and decrease, humanity, in more fortunate persons, comes a step nearer to its final success.
>
> For beneath the cheerful exterior of the mere well-paid craftsman, chasing brooches for the copes of Santa Maria Novella, or twisting metal screens for the tombs of the Medici, lay the ambitious desire to expand the destiny of Italian art by a larger knowledge and insight into things, a purpose in art not unlike Leonardo's still unconscious purpose; and often, in the modelling of drapery, or of a lifted arm, or of hair cast back from the face, there came to him

something of the freer manner and richer humanity of a later age. But in this Baptism the pupil had surpassed the master; and Verrocchio turned away as one stunned, and as if his sweet earlier work must thereafter be distasteful to him, from the bright animated angel of Leonardo's hand.

The angel may still be seen in Florence, a space of sunlight in the cold, laboured old picture; but the legend is true only in sentiment, for painting had always been the art by which Verrocchio set least store. And as in a sense he anticipates Leonardo, so to the last Leonardo recalls the studio of Verrocchio, in the love of beautiful toys, such as the vessel of water for a mirror, and lovely needle-work about the implicated hands in the Modesty and Vanity, and of reliefs, like those cameos which in the Virgin of the Balances hang all round the girdle of Saint Michael, and of bright variegated stones, such as the agates in the Saint Anne, and in a hieratic preciseness and grace, as of a sanctuary swept and garnished. Amid all the cunning and intricacy of his Lombard manner this never left him. Much of it there must have been in that lost picture of Paradise, which he prepared as a cartoon for tapestry, to be woven in the looms of Flanders. It was the perfection of the older Florentine style of miniature-painting, with patient putting of each leaf upon the trees and each flower in the grass, where the first man and woman were standing.

(598w)

実践編

日英翻訳

Ⅰ ビジネスEメール

Ⅱ 招待状

Ⅲ 掲示,案内

Ⅳ マニュアル,商品説明

Ⅴ パワーポイント資料

Ⅵ 論文アブストラクト

Ⅶ 論説

I　ビジネスEメール

近頃のビジネスコミュニケーションはEメールが主流です。Eメールは初めから英語で書くことが多く，日本語から翻訳することはあまりないでしょう。しかし，忙しい上司から突然日本語で書いた文章を渡され，英語に翻訳しなければならないことがあるかもしれません。ビジネスEメールでは，相手のことを考え，文章は短くまとめる，伝えたいことはメールのはじめのほうに書く，硬すぎる必要はないが，適度な礼儀を加えた文章を書く，などが重要です。

◆実際に訳してみよう！

基礎編で学んだことやPointに書かれたヒントをもとに，さまざまな目的で書かれたEメールを訳してみましょう。

例題1

件名：RE: ICO Forum

ジム・タイラー様，(1)

ICO事務局の鈴木です(2)。ICOフォーラムについて，お問い合わせいただきありがとうございます。

フォーラム登録にあたっては(3)，添付の登録用紙にご記入いただき，事務局宛に送り返していただくようお願いします。

フォーラムでお会いできますことを心より楽しみにしております(4)。

ICO事務局
鈴木啓子(5)

Point 1：ビジネスEメールでは，基本的に，Dearの後に敬称のMr.か Mrs.（またはMs.）をつけたラストネームか，敬称なしのファーストネームで書き

始めます（例　Dear Mr. Tyler, Dear Keiko）。

相手が特定されていない場合，Dear Sir or Madam, がよく使われますが，対象者が同じグループに属する複数の人々の場合は，次のような言い方もします。

　　Dear Colleagues,
　　Dear Alumni and Friends,
　　Dear ICO Member,

Point 2：英語では特に必要のない限りメールの最初に自己紹介はしません。リターンメールですので，いきなり Thank you for contacting us. と始めて大丈夫です。

Point 3：すぐに「登録用紙」という言葉が出てくるので，特に「フォーラム登録にあたっては」を訳出する必要はないでしょう。なお，「登録用紙を添付しました」と言いたいときは，Attached is the registration form. というように書きます。添付資料は attachment です。丁寧さをつけ加えたいのなら，Please return it to us at your (earliest) convenience.（ご都合のよいときに送り返していただければ幸いです）とすることもできます。

Point 4：最後は，I look forward to meeting you at / welcoming you to …などの表現を加えることによって，パーソナルタッチ（事務的な感じではなく，人間味を加える方法）を加えることができます。さらに，ビジネスEメールの礼儀的な締めとして，Best regards, Regards などをつけるとよいでしょう。

Point 5：名前と役職，会社名は，英語では日本語のときと順番が逆になります。

試訳

RE: ICO Forum

Dear Mr. Tyler,

Thank you for contacting us. Attached is the registration form. Please fill it out and return it to us at your convenience.

I look forward to welcoming you to our Forum.

Best regards,

Keiko Suzuki
Secretariat, ICO

例題2

件名：ホテルの予約について

ジム・タイラー様,

お世話になっております。(1) ご宿泊のほうは，ご依頼の日程にて，東京港南ホテルに予約を入れました。会議が開かれる場所から5分の距離にあり，便利かと思います。

では，よろしくお願いします。何かご質問等ありましたら，遠慮なくご連絡ください。(2)

ICO事務局
鈴木啓子

Point 1：日本語のEメールには最初によく来る表現ですが，英語ではこれに相当する文句は特にありません。Thank you for your inquiry/contacting us. などと書くこともできますが，いきなり本題に入っても大丈夫です。

Point 2：「よろしくお願いします」は，日本語では習慣的につけ加えますが，英語には同じ意味の表現はありません。最後につけるBest regards, Regardsなどは，相手への敬意を表す似たような表現として使うことができます。

実践編 | 日英翻訳

「何かありましたら，遠慮なくご連絡ください」は，次のような言い方があります。注意する点として，英語のpleaseは丁寧度を加えるのにとても重要です。ビジネスＥメールの場合は，よほどパーソナルなメールでない限りpleaseを入れるようにしましょう。

Please feel free to contact me if you are in need of any further assistance.
If you have any questions or concerns, please don't hesitate to call or email us.
Please let me know if you have any questions.

試訳

Subject: Reservation booked at Tokyo Konan Hotel

Dear Mr. Tyler,

I have made a reservation for you at the Tokyo Konan Hotel for the dates you requested. The hotel is a five-minute walk from the venue of the Forum, so it is very convenient.

Please feel free to contact me if you are in need of any further assistance.

Best regards,

Keiko Suzuki
Secretariat, ICO

例題3

件名：御社訪問について

ロバート・モイル殿(1)，

日本ポンプ社の佐藤です。すっかりご無沙汰しています(2)。

貴殿もご存じのとおり，わが社は国内ポンプ事業において実績がありま

すが，昨今のポンプビジネスのグローバル化に伴い，現在海外企業との<u>ビジネス業務提携を模索しており，日本ポンプと御社はそういう意味においてさまざまな分野で協力し得る可能性があると考えています(3)</u>。

<u>つきましては(4)</u>，太田氏と来月早々，サンフランシスコの御社をお訪ねし，本件に関してお話させていただきたいと思います。<u>お忙しい中恐縮ですが(5)</u>，<u>11月6日か7日(6)</u>の午後あたりのご都合はいかがでしょうか。

ご連絡お待ちしています。

日本ポンプ社戦略企画室部長
佐藤昭夫

Point 1：通常はDear Mr. Moyle, と書きだしますが，相手がある程度親しい仲なら，Dear Robert, と始めても大丈夫です。相手から来たメールの最後にファーストネームが書かれている場合は，次からその名前で呼んでくれというサインなので，そのようにして構いません。

Point 2：メールの書き出しは英語でもむずかしいものです。親しいほど，何かパーソナルな親しみをこめた表現を入れるほうがよいでしょう。よくある書き出しとしては，次のようなものがあります。

  I hope things are going well with you.
  I hope all is well with you.
  I hope this finds you and your family well.
  It's been a long time since we last met in Tokyo.

Point 3：長く回りくどい文章です。基礎編のⅤ章（P95〜99）で学んだように，まず文章を以下のように3つに短く切ってから訳しましょう。各文の接続助詞や文末に注意して訳してみましょう。

  貴殿もご存じのとおり，わが社は国内ポンプ事業において実績がありますが，／昨今のポンプビジネスのグローバル化に伴い，現在海外企業とのビジネス業務提携を模索しており，／日本ポンプと御社はそういう意味にお

いてさまざまな分野で協力し得る可能性があると考えています。

Point 4：本来はあってもなくてもどちらでもよい表現です。無理にここでは訳出しないほうがすっきりとした英文になります。

Point 5：日本人特有の謙遜の表現です。無理に訳す必要はありません。

Point 6：英語では，日付の前に通常，曜日を加えます。

★最後に，英文では結論を先に持ってくることを忘れないように。原文では，メールの趣旨が最後に来ています。段落を入れ替えるなどの工夫をしてみましょう。

試訳

Subject: Visiting your office in November

Dear Robert,

I hope this finds you and your family well.

Mr. Ota and I will come to San Francisco next month. If it is possible, we would like to visit your office to talk about our future relationship in the pump business.

As you know, Japan Pump Corporation has been very successful in the domestic Japanese pump business. In order to deal with the recent globalization of our industry we are exploring the possibilities of working with an overseas company. I believe there is a high probability that your company and Japan Pump may be able to find areas for cooperation and mutual profit.

Will either the afternoon of Tuesday, November 6 or Wednesday, 7 be convenient for you?

Please let us know.

Best regards,

Akio Sato
Manager, Corporate Strategy Division
Japan Pump Corporation

例題4

件名：著作権に関するお問い合わせ

<u>三修社の菊池と申します。わが社は，語学関連の書籍，テキストを出版しています(1)</u>。

このたび，弊社は翻訳教授本の出版を計画しておりますが，そこに御社の映画作品「アイ・アム・サム」の台詞を一部（添付資料）掲載させていただきたいのです。台詞は，翻訳課題のサンプルの一つとして掲載しますが，もちろん教育的な目的でのみ使用します。

<u>つきましては，掲載が可能かどうか，また掲載の際の条件等をお知らせいただけますと幸いです。(2)</u>

よろしくお願いします。

三修社出版部
菊池暁

Point 1：初めての相手に書くときは，本人の名前よりも，どういう会社のどういう立場の人間が，どのような目的でこのメールを書いているのかを最初に明らかにする必要があります。相手が誰かわからない場合は，いきなり書き出すこともできますがが，Dear Sir or Madam などをつけると丁寧な響きになります。

Point 2：日本語では，何かを依頼する場合かなり謙った言い方をします。英語の場合は，シンプルに Could(Would) you please let me(us) know … などの表現で十分対応できます。

試訳

Subject: Inquiry about copyright

Dear Sir or Madam,

I am an editor at Sanshusha Publishing Company in Tokyo.
We specialize in publishing books and textbooks in foreign languages.

Currently, we are planning to publish a teaching book on translation. In this book, we would like to use some lines from your movie, *I Am Sam* (as you will see in the attachment). They will appear as one of the translation samples in the book and of course will be used for educational purposes only.

Would you please let us know if we could use those lines in our book and the terms and conditions you may have for using them?

We look forward to hearing from you soon.

Best regards,

Satoru Kikuchi
Editor, Sanshusha Publishing Co,. Ltd.

☛ まとめの重要ポイント

- 文章は短く簡潔にまとめる
- 伝えたいことをはじめに述べる
- 適度な礼儀を加えて書く

◆練習問題◆

1.

件名：RE: Payment for Conference Proceedings

ジム・タイラー様,

お世話になっております。事務局の鈴木です。

ご質問の件ですが,議事録の支払いに関しては,クレジットカードで決済いたしますので,お使いのクレジットカード情報をファックスか郵便にて事務局のほうまでお送りください。

ファックス番号は,03-3443-3100です。

よろしくお願いします。

ICO事務局
鈴木啓子

2.

件名:空港からの交通機関について

ロバートさん,

われわれの訪問に関して,さっそくご快諾いただき感謝します。
サンフランシスコは5年ぶりですし,久しぶりに御社にお邪魔し,貴殿にお目にかかれることをたいへん楽しみにしています。

さて,われわれの飛行機は朝一番で着きますが,予約していただいたClub Quartersには,空港からのリムジンサービスはないようです。タクシーに乗る以外に便利な方法などあるでしょうか。

よろしくお願いします。

佐藤昭夫

II　招待状

本章では，会議やレセプションの際に参加者へ出す招待状やメールでの案内の翻訳に挑戦してみましょう。相手や目的によって書き方が違います。フォーマルかインフォーマルかでも文体が変わりますが，いずれにしても大切なのは文体を統一することです。また，招待状には文化的な挨拶の表現や日本人独特の言い回しが多く出てきます。それらをどう扱うかが重要な鍵となります。

◆実際に訳してみよう！

目的や対象をよく考え，基礎編で学んだことやPointに書かれたヒントをもとに，さまざまな招待状を訳してみましょう。

例題1

西カリフォルニア大学　　　　　　　　　　　　2008年5月10日
翻訳学科長
デイビッド・リン様，

初夏の候，益々ご清栄のこととお慶び申し上げます(1)。

さて，来る8月2日(土)と3日(日)港南大学にて，第4回JATS主催翻訳研究フォーラムを開催いたします(2)。

今年は「翻訳教育における指導者の役割」というテーマのもとに，翻訳教育がご専門の先生方や参加者を内外より多数お招きしております。(3)参加申し込みお待ち申し上げております。

参加登録に関しては，7月10日までに，下記の事務局田辺までご連絡くださいますようお願いいたします(4)。

JATS事務局
田辺京子

Eメール：ktanabe@xxxx.or.jp

Point 1：最近増えているメールを使った招待状です。日本語では常套句や季節の挨拶を冒頭につけますが，英語では省いてしまっても大丈夫です。

Point 2：注意するのは，日程の書き方です。アメリカ英語では，曜日，日，西暦という順番ではっきりと提示します。（例：Saturday, August 2, 2008）なお，国際会議ですから，当たり前と思ってもTokyoという都市名をつけ加えるほうが親切です。

　（注）イギリスでは，曜日と月の順番が反対になります（例：2 August 2008）。米国では，軍隊がこのような表記をします。

Point 3：長い文章です。2つに切って訳してみましょう。

Point 4：次のような言い方があります。なお，名前は必ずフルネームで書きましょう。

For registration, please email Kyoko Tanabe by July 10.
For registration, please contact Kyoko Tanabe at ktanabe@xxxx.or.jp by July 10.

■ 試　訳

May 10, 2008

Dr. David Lyn
Director, Department of Translation
Western California University

Dear Dr. Lyn,

We are pleased to invite you to participate in the Fourth International Forum on Translation Studies sponsored by JATS. It will be held on

Saturday, August 2 and Sunday, August 3, 2008 at Konan University in Tokyo.

The theme for the Forum this year is "The Role of Instructors in Translation Training." We are expecting many translation experts and participants from Japan and from throughout the world. We hope you will be able to attend the Forum.

For registration, please email Kyoko Tanabe by July 10.

email: ktanabe@xxxx.or.jp

We look forward to seeing you in Tokyo!

Best regards,

Kyoko Tanabe
Secretariat, JATS

例題2

弊社新体制披露宴へのご招待(1)

拝啓　時下ますますご清栄のこととお喜び申し上げます(2)。
平素より格別のご配慮を頂戴し，誠にありがたく厚くお礼を申し上げます(3)。

さて，2008年10月1日に弊社とJ. サンダース社との間で業務提携が調印され，携帯電話市場における両者間のグローバルパートナーシップが誕生しました。

つきましては，以下の日程，場所にて小宴を催し(4)，新役員をはじめ弊社新体制のご紹介をさせていただきたいと存じます。

日程：2008年11月15日
場所：東京都ホテル，欄の間
時間：6時〜9時

ご多忙中恐縮ではございますが，何とぞ万障お繰り合わせの上，ご出席賜りますようにご案内申し上げます(5)。

敬具

平成20年10月5日(6)
テレテビア代表取締役
鈴木秀雄

Point 1：ややフォーマルなタイプの招待状です。日本語の招待状は，トップに(1)のようなタイトルがついているのをよく見かけます。このような場合，特に必要なければINVITAIONとしてしまっても構いません。英語では，具体的なことは後の文章に入れることが多いようです。

Point 2：季節の挨拶などは省くのが普通ですが，冒頭にWe are pleased to announce ... などと入れることによって，丁寧さを出すことができます。

Point 3：相手に対する謝辞は，冒頭でもよいですが，メールの最後に持ってくると締めとしても使えます(基礎編X章参考)。

Point 4：日本語特有の謙遜の表現なので，直訳してsmall receptionとする必要はありません。

Point 5：日本語の儀礼上の表現です。無理に訳す必要はありません。ただし，締めの表現は必要なので，We look forward to seeing you. などの表現を加え，最後にSincerelyなどで締めます。

Point 6：日付は招待状のトップ右上に持ってきます。

★英語の招待状では，客がどういう服装をしてよいか困らないようにドレスコードを招待状に記すことがあります(例　Dress: Business / Casualなど)。

試訳

INVITATION

Dear Sir or Madam,   October 5, 2008

We are pleased to announce that our company signed a joint business contract with J. Sanders on October 1, 2008. From now on we are going to act as good global business partners in the mobile phone market.

We will be holding a reception to introduce our new team and board of directors. We hope you are able to join us.

Date: November 15, 2008
Place: Tokyo Miyako Hotel, Orchid Room
Time: 6:00 p.m.-9:00 p.m.
Dress: Business

We thank you for your continued support and look forward to seeing you there.

Sincerely,

Hideo Suzuki
CEO, Teletevia

例題3

クリスマスパーティへのお誘い！(1)

来る12月22日の夜6時から8時まで，地下一階のラセロにてクリスマスパーティを行います。今年もまた，みなで頑張った一年を祝い，ビールにおつまみ，カラオケを楽しみましょう。

参加希望の方は田口まで (2)。ataguchi@xxxx.or.jp

Point 1：カジュアルな招待状なので，楽しそうな雰囲気を出すことが重要です。典型的な言い方としては，Join us on Monday, December 29 for a year-end party! などがあります。

さらに，英語のカジュアルな招待状でよく目にするのは，次のような言い方です。「その日は絶対に忘れないで来てくださいね」という趣旨の表現です。

Save the Date –Wednesday, May 7, 2009!
Mark Your Calendar!

Point 2：日本ではラストネームだけということが多いですが，英語ではフルネームか，または誰もがその人を知っている場合は，ファーストネームのみ記すことも多いです。

試 訳

Join us on Monday, December 22 for
A Year-end Christmas Party!

Come and have a snack and a glass of your favorite beverage, sing along to karaoke and celebrate the end of another successful business year!

Place: Restaurant *Lacello* (located at the basement of our office building)
Time: 6:00 p.m.-8:00 p.m.

If you wish to come, please contact Asako Taguchi: ataguchi@xxxx.or.jp

実践編 | 日英翻訳

☞ まとめの重要ポイント
- フォーマル度により文体を変える
- 日本特有の文化的な表現などは無理に訳さなくてもよい

◆練習問題◆

1.

拝啓　時下ますますご清祥のこととお慶び申し上げます。平素は格別のご高配を賜り厚くお礼申し上げます。

さて，先日ご案内しました「M&A時代における企業価値向上セミナー」に是非ともご出席賜りたく，ここにご案内申し上げます。

本セミナーでは，弊社のコンサルティング経験をふまえ，日本人や日本の文化，風土にあった合併，買収，提携を成功させる戦略と具体策についてご紹介させていただきます。

ご多用中と存じますが，本セミナーへのご来駕を心よりお待ちしております。

日程：2008年3月4日
時間：午後1時〜4時
場所：六本木ヒルズ23階，東邦コンサルティング事務所内会議室

敬具

東邦コンサルティング
マーケティング担当
田中信也

2.

次回年次大会のお知らせ！

来年度の年次大会は，以下の日程にて京都で行うことに決定しました。古都を楽しみつつ，世界中の参加者たちと友好を育みましょう！

日程：9月23日
場所：嵐山大学

詳細は，こちらまで。www.nihonhonyaku.org

III 掲示，案内

本章では，外国人向けの掲示文，案内文をどう訳すかについて学びます。ビジネスレターや招待状のような決まった書式はありません。書き方は自由ですが，場所，対象をよく考え，文体，表現などに気をつける必要があります。警告をするときは遠まわしに書かずはっきりと，しかし相手に強制的な雰囲気を伝えないよう，適度な人間味を加えた表現を混ぜることがポイントです。

◆実際に訳してみよう！

目的や対象をよく考え，基礎編で学んだことやPointに書かれたヒントをもとに，翻訳に挑戦してみましょう。

例題1

注意事項(1)

- **劇場内は禁煙です**(2)。
  喫煙する場合は，会場外入口付近の灰皿をご利用ください。

- 劇場内の携帯電話のご使用はご遠慮ください。
- 劇場内での飲食は禁止です。<u>ホール内のレストランをご利用ください</u>(3)。

Point 1：タイトルは，Important Notice くらいでよいでしょう。A Few Remindersという表現もあります。強い調子で警告したければ，CAUTION!などという表現も使えます。

Point 2：上記の例のような場合は，不特定多数の人を対象にしているため，特に丁寧な表現を使う必要はありません。なお，無生物を主語にして受け身形を使うと，客観的でフォーマルな感じになります。

禁煙や携帯電話の使用禁止を促す注意文はあらゆるところで見られますが，以下のような表現が可能です。

No smoking in the restroom.（トイレの前のサインなど）
Smoking is prohibited in the hall.（通常の掲示の場合）
Cell phones must be turned off in the hospital.（通常の掲示の場合）
Please refrain from using your cell phone in the hospital.（やや丁寧な言い方）

Point 3：「ご利用ください」という言い方は，... are available という表現が便利です（例　Brochures are available at the reception desk.）。

試訳

Important Notice

- Smoking is prohibited in the theater.
  If you want to smoke, please use the ashtrays near the entrance outside.
- Cell phones must be turned off in the theater.
- No food or drink is allowed in the theater.
  Restaurants are available at several places in the hall.

例題2

<受付時間等のご案内>

午前中の受付時間：8時30分～11時30分 (1)

- 8時より受付いたします。
- 初診の方は11時までです。初診の方は保険証をご提示ください。
- 再診の方も毎月初めのご来院日に保険証を<u>確認させていただきます</u>(2)。
- 外科，産婦人科，眼科は完全予約制です。事前にお電話でご予約をお取りください。

Point 1：時間を提示するときは，必ず，a.m., p.m.をつけてください。日本語の表記「～」は，英語ではハイフン「-」を使います。

Point 2：「確認させていただきます」は日本語特有の丁寧な表現です。相手が日本人なら，これらは絶対に実行して欲しいと言っているのが明白ですが，外国人にきちんと伝えるにはmustを使わないと通じないことがあります（注：shouldという表現は曖昧です。きちんとお願いするときはmustを使いましょう）。あまりにも命令調に聞こえると思ったときは，Please present your insurance card.などの依頼の表現をところどころに混ぜて，あまりきつく聞こえないよう工夫します。

試訳

Patient Check-in Information

<u>Morning Hours: 8:30 a.m.-11:30 a.m.</u>

- Check-in starts at 8:00 a.m.
- Patients visiting for the first time must check-in before 11:00 a.m. Please present your health insurance certificate at the reception desk.
- Returning patients must also present their health insurance certificates on the first day of their visit each month.

- Appointments are required for Surgery, Obstetrics and Gynecology and Ophthalmology. Please call the department you wish to contact directly for an appointment.

☞ **まとめの重要ポイント**
- 警告は遠まわしに書かない
- 表現は適度な人間味も加えて

◆ 練習問題 ◆

1.

拝観のご案内

開館時間：午前9時半〜午後4時半まで（休館日は毎木曜日と祭日）
観覧料：大人800円 / 高大生400円（要学生証）/ 中学生以下無料

☆駐車場は狭いのですぐ満杯になります。外のパーキングをお使いください。
☆境内は土足厳禁です。スリッパに履き替えてご入場ください。

2.

図書貸出についてのお願い

- 図書は，2週間以内何冊でも借りられます。
- CD・DVDは，2週間以内5点まで借りられます。
- 新聞・雑誌は貸出しません。館内でご覧ください。

☆月曜，祝日は休館なので注意してください。

Ⅳ　マニュアル，商品説明

本章では，商品の使い方やさまざまなサービスについての説明文を翻訳してみます。商品を買うお客さんに，どういう商品なのかわかりやすく伝えることがポイントになります。商品の使い方を示す手順は基本的には命令文を使い，説明文のほうは，お客さんに話しかけるように不特定多数を表すyouを主語にして書きます。いずれにしても，リズムのよい文章を書くように心がけましょう。

◆実際に訳してみよう！

わかりやすさやリズムを工夫しながら，基礎編で学んだことやPointに書かれたヒントをもとに，翻訳に挑戦してみましょう。

まず，マニュアルなどに書かれる手順の翻訳です。

例題1

A260プリンター・コピー印刷の手順

1　<u>本機の電源を入れます(1)</u>。
2　用紙トレイに用紙が入っているかどうか確認します。
　　☞ 用紙の入れ方　P15
3　原稿台ガラスに原稿を置きます。
　　☞ 字が書いてあるほうを下に向けます。
4　<u>コピースタート(2)ボタンを押します</u>。
　　☞ カラースタートボタンかモノクロスタートボタンを押して選択することができます。

Point 1：手順は基本的に命令形を使います。以前はマニュアルでは人称代名詞を省いた命令形や受け身文が主流でしたが，最近は不特定主語のyouを含む表現が多くなってきています。

(例) Make sure you have paper loaded in the paper tray.（用紙トレーに用紙が入っているかどうか確認してください）

Point 2：日本語では，「コピースタート」という表現になっていても，英語ではStart Copyという順番が自然です。

試　訳

Copying With the A260

1. Turn on the power.
2. Make sure you have paper loaded in the paper tray.
    ☞ See P.15
3. Load your original on the copier glass.
    ☞ The original should be face down on the glass.
4. Press the Start Copy button.
    ☞ You can select either color or monochrome by pressing the Start Copy / Color button or the Start Copy / Black button.

例題2

冷凍サーモンの解凍法と美味しい食べ方

1 <u>真空パックからサーモンを取り出し，皿に移してラップフィルムをかけます(1)</u>。その際，白ワインと新鮮なディルを加えるとさらに美味しさが増します。
2 すぐに冷蔵庫に入れて，最低12時間かけて解凍してください。
3 皿に溜まった解凍液はときどき捨ててください。
4 <u>12時間後，美味しいサーモンを召し上がることができます。(2)</u>

Point 1：【例題1】と同じく，基本的に命令文を使います。文を短く切ることで，軽妙にリズム感よく，わかりやすい文を作ることがポイントです。

Point 2：機械のマニュアルなどとは違うので，最後にyouを使った文を入れ，客に優しくアピールしてみましょう。

試 訳

> ### How to Defrost Salmon and Enjoy its Delicate Taste!
>
> 1. Take the frozen salmon out of the vacuum pack. Place the slices on a plate. Season with white wine and fresh dill.
>   Cover the plate with cling film.
> 2. Put the plate in the refrigerator for at least 12 hours.
> 3. Discard the liquid on the plate from time to time.
> 4. After 12 hours, you can enjoy a meal of delicious salmon.

次は，手順の前後についている説明文を訳します。不特定主語のyouを用い，トーンは優しく簡潔な文章に訳します。

例題3

> <u>高品質の画質をお求めの場合は</u>(1)，<u>本プリンター専用の用紙をお使いください。</u>(2) 写真の印刷には光沢用紙またはマット用紙をお使いいただけます。パンフレット，プレゼンなど，用途によって用紙を使い分けていただくことをお勧めします。

Point 1：説明文は通常，不特定主語のyouを使って書きます。そのほうが，ユーザーフレンドリーな感じを与えるからです。

Point 2：上記で条件節をyouで始まる文にした場合，主文でもyouを繰り返すとしつこく聞こえますので，主文は命令形にして変化をつけます。

試 訳

> If you want the best print quality, use the papers that our company has designed for different types of printing. If you are printing photos,

load glossy or matte photo paper in the paper tray. For brochures or presentations, use the paper specifically designed for that purpose.

例題4

正しいバックのお手入れ方法

美しいレザーは，日頃からのお手入れが大切です(1)。日光やライトの当たる場所，温度や湿度の高い場所に長時間放置すると変色の原因になります。(2) バックが濡れたときは，すぐにやわらかい布でふき取ってください。使わないときは，布袋に入れ，通気性の良い場所に保管しておきましょう。

Point 1：商品説明は簡単でわかりやすいだけでなく，読みやすいリズムで書くことも重要です。無生物主語構文を使い，インパクトのある訳文を作ってみましょう。

Point 2：この文はそのまま直訳することも可能ですが，ちょっとした工夫をしてみましょう。日本語の原文を「変色を防ぎ，オリジナルの美しい色を保つには，(レザーを)日光やライトの当たる場所，温度や湿度の高い場所に長時間放置しないでください。」と言い換えてから訳します。このほうが肯定的な印象を客に与えます。

試 訳

The Best Way to Protect Your Leather Bag!

Beautiful leather needs constant care. In order to keep the original color and quality, avoid exposing the bag to light, heat or humidity for long periods. Should the bag come in contact with liquids, dry the bag off with a soft cloth immediately. When you are not using your bag, keep it under a soft cover in a place with low temperature and low humidity.

> ☞ **まとめの重要ポイント**
> - 手順は基本的に命令形を使う
> - 説明文は不特定主語のyouを使う
> - リズムがよい文章にする

◆ 練習問題 ◆

1.

美味しいティーバック紅茶の入れ方

1　一カップに一袋使います。
2　カップに入れ，沸きたてのお湯を注ぎます。
3　3〜5分たったらティーバッグを取り出し，お飲みいただけます。
4　お好みでアイスティーとしてもいただけます。
　　その場合は，ティーバッグは二袋お使いください。

（注）開封後は密閉容器で保存してください。

2.

製品の品質保証について

当社製品に使用している素材およびファスナーの品質不良や欠陥に関しては，購入日より1年間，無償にて修理させていただきます。詳細は，31ページをご覧ください。修理に関しては，追加料金をいただくことなく，当社の最新技術を用い速やかに対応させていただきます。

V　パワーポイント資料

最近，パワーポイント資料英訳の仕事は確実に増えています。基本はドキュメント資料の翻訳と同じですが，パワーポイントのスライドはスペースが限られているので簡潔に書くこと，視覚的な効果を考えてフォント，構文をそろえるなどが重要になります。また日本語は漢字を使うことによってスペースを節約できる利点がありますが，それを英語にすると文字が多くなるので，はじめから長い英文にならないように注意して訳出することが大切です。

◆実際に訳してみよう！

文の長さに気をつけながら，基礎編で学んだことやPointに書かれたヒントをもとに，翻訳に挑戦してみましょう。

例題1

ストレスマネジメントセミナー　(1)
―仕事のストレスをいかに解消するか―(2)

2008年3月10日
ヒューマンパワー研究所(3)

Point 1：フォントは全体的にできるだけ揃えます。タイトルのフォントは他の部分より大きく，各単語の頭文字を大文字にします。前置詞や冠詞など，機能語の頭文字は必ずしも大文字にする必要はなく，通常以下のように小文字にします。

　(例) 会社組織におけるストレスマネジメント
　　　Stress Management in a Company

Point 2：日本語では，サブタイトルを" "や長いダッシュ（―）で両囲いすることが多いですが，英語の資料ではあまり見かけません。フォントを小さくしたり，イタリックにするなどして変化をつけましょう。

Point 3：先に作成者名，次に年月日を書きます。

試 訳

Stress Management Seminar
How can we eliminate workplace stress?

Human Power Research Institute
March 10, 2008

例題2

目 次

1) <u>なぜ今ストレスが問題か？(1)</u>
2) <u>ストレスへの対応策 (2)</u>
3) ストレステストの効果
4) ストレスマネジメントについて

Point 1&2：英語では構文をそろえます。例えば，次のような構文の並べ方はあまりよくありません。

（良くない例）
  1) Why talk about stress now?

2) Stress control measures
3) Effectiveness of stress tests
4) What is stress management?

1) と 4) はセンテンスで，2) と 3) は名詞句です。どちらにそろえてもよいのですが，できるだけ構文を一つにそろえましょう。

試訳

Topics

1) Why talk about stress now?
2) How can we fight stress?
3) Are stress tests effective?
4) What is stress management?

例題3

ストレスへの対応策

1) ホリスティックな職場環境の確立(1)
2) ホリスティックなアプローチ＝ストレス対策(2)
3) ストレスに弱い社員⇒心身医療支援(3)

Point 1：漢字熟語はパワーポイントではスペースを節約するため多用されます。そのまま英語の名詞や名詞句で置き換えることもできますが，動詞を使うほうが訳しやすく，意味もわかりやすくなります。いずれにしても，他の文と構文をそろえましょう。

（例）現状の課題への取り組み
　　　Deal(ing) with the issues we are now facing

Point 2 & 3：「＝」や「⇒」は，日本語の中だけで使われます。英訳では，なるべく文章で表しましょう。なお，日本語では箇条書きに番号を振ることが多いですが，英語では，時系列などの場合を除いて，内容が並列のときは番号でなく，ブレットなどをよく使用します。

（注）「ホリスティック」とは，「全体・つながり・バランス」という意味です。医療に関して述べるときは，「心と身体全体に気を配り，バランスを整え，与えられた条件のもとに最良の状態を保つ」ことを意味しています。

■ 試 訳

How Can We Fight Stress?

- Create a holistic working environment
- Take a holistic approach to stress-related problems
- Provide medical and psychological support for those subject to stress

☞ **まとめの重要ポイント**
- フォントを統一する
- 構文をそろえる
- 簡潔にまとめる

◆練習問題◆

1.

バイオテク企業の成功への道

1) すぐに商品化できる新技術の開発
2) 強力な特許で技術を競争から守る

2.

目標達成への条件

1) 地道なプラニングとフォロー
2) 特許保護のためのR&D強化

VI 論文アブストラクト

本章では，論文の翻訳にトライしてみましょう。論文というと難度が高い印象がありますが，実際には，表現の型がある程度決まっているので，日本人には比較的手がけやすい翻訳の一つと言えるでしょう。

論文は，ある専門分野の特定のテーマに絞って書かれており，読者もその分野の知識を持っているので，翻訳者は，訳し始める前に論文の学問的背景や専門用語を確認することが最も重要です。著者が書いた他の論文や文献を読み，著者の考え方に対する理解を深めることも役立ちます。用語に関しては，辞書やグーグル検索である程度調べることができますが，できれば著者にじかに確認するとよいでしょう。思いこみの訳だけは絶対にしないように注意してください。

論文では，基礎編Ⅷ章の無生物主語構文のところでも述べたように（P 107），一人称の使用はできるだけ避け，その代わり無生物主語を用いて客観性を強調します。無生物主語を立てると受け身文が多くなりがちですが，能動態の文を多く使用するほうが，インパクトが生まれ，英語的な響きになります。また，論文では，フォーマルな格調の高い文体が使われるので，それなりの品格を訳文にも反映させるよう努力しましょう。

本章では，論文の冒頭部分につけるアブストラクトを使って練習します。アブストラクトは抄録とも言いますが，英語で書かれ，海外の読者に論文の内容がどのようなものかを伝える機能を果たします。短く簡潔ながら，論文の主旨や内容を的確に伝える役目があり，本文以上に大切な部分と言えます。

◆実際に訳してみよう！

以下の例題でアブストラクトの翻訳に挑戦してみましょう。専門用語がある場合は訳に注意し，原文の雰囲気を反映した訳文を作ってみましょう。

例題1

最近の情報技術の発展により，大学の教育現場においても情報化が進んでいる。(1) 本稿では，日本の大学において，最新のコンピュータ技術を使った指導がどのように生かされているか(2)，それによってどのような効果が学生の学習態度に見られたかについて紹介する(3)。さらに，教育の情報化が将来大学の教育環境全体に与える変化についても言及したい(4)。

Point 1：「〜により，〜が進んでいる」というセンテンスを訳す場合，「〜が〜を進めている」と訳したほうが，能動的で英語的に聞こえます。この場合，A provides B with C（Aは，BにCを与える）という表現を使うこともできます。

Point 2：「日本の大学は，最新のコンピュータ技術を使って，どのように大学の指導を改善しているか」というように，一度，能動的な文に置き換えてから訳すと上手に訳せます。

Point 3：「紹介する」のは著者自身です。しかし，学術文書では一人称の代わりに，This paper（本稿は）のような主語を頻繁に用います。それに続く動詞は，outline（概略を述べる），describe（述べる／説明する），discuss（議論する／検討する），address／cover（取り上げる／扱う），focus on（焦点を当てる），give an overview（概観する）など，さまざまな表現が可能です。いずれにしても，短いパラグラフの中で同じ動詞を繰り返さないよう工夫し，表現にバラエティを持たせることが重要です。動詞は未来形で書くこともありますが，通常現在形を用います。

Point 4：前文で使ったThis paperを繰り返さず，The author（著者は）を主語に使ってみましょう。

試 訳

> The recent innovation in information technology (IT) has provided us with an opportunity to utilize IT in university classrooms. This paper outlines how some universities in Japan have improved their classroom teaching with the assistance of the latest computer technologies, and how it has positively affected students' learning behavior in the classroom. The author also describes his perspectives on how this computer-assisted teaching will change the entire university educational environment in the future.

例題2

> 小規模の建設会社は，建設プロジェクトの改善を試みるにあたって，不利な立場に置かれている(1)。政府の助成金が制限されていることや，規制が厳しいことなどが主な理由だ(2)。現状を把握するため，小規模建設会社6社に対し，過去にどのような不利益を経験し，それらをどのように克服したかについて調査した(3)。本稿では，それらの結果を紹介する。さらに，革新的なプロジェクトを目指す小規模建設会社に対し，政府の助成や規制がどのような影響をもたらすかについては，さらなる調査が必要である(4)。

Point 1：「～は不利な立場に置かれている」は，be at a disadvantage のようなフレーズを使うと上手に訳せます。「改善を試みるにあたって」の部分は，when they try to implement ... と when を使った副詞節で対処してみましょう。

Point 2：..., mainly due to（主に～の理由で）を使い，前文とつなぐことができます。前にカンマを置けば，文が長すぎるように聞こえることはありません。

Point 3：「～に対し，～について調査した」という部分をすっきりと訳すためには，次のように分詞構文を使うと上手く処理できます。The author conducted a survey, asking six such small firms about ...　ここでも，一人称は使わずに，The author とすることに注意。

Point 4：著者が意見として提案しているところなので，It (This paper) also suggests that ... と言うように，suggest を使って訳すこともできます。

試 訳

> Small construction firms are often at a disadvantage when they try to implement innovation on their construction projects, mainly due to the limited financial assistance provided, and the strict regulations set forth by the government. The author conducted a survey, asking six such small firms about the handicaps and disadvantages they have

experienced in the past and how they have overcome such problems. This paper introduces those results. It also suggests that further research is necessary to find out what kind of impact government assistance and regulations would have on innovative projects conducted by small construction firms.

例題3

現在のマルチ・メディアが発達した時代には(1)，さまざまな翻訳形態が多様な目的のために存在し，映画字幕もその一つである。厳密に字幕が翻訳かどうかの問題はあるにせよ(2)，訳出されたものが文字形態をとるため，「翻訳」と捉えるのが一般的である。しかし，字幕翻訳者はスクリプトの文字情報のみに依存して訳出しているわけではない。オリジナル音声，画像，音響など，マルチコミュニカティブ・チャネルを経たさまざまな非言語情報(3)を，言語情報と合わせてトータルなテキストして扱っている。本稿では，まずそれらの非言語情報がどのような影響を字幕翻訳に与えるかについて調査し，よって(4)，オリジナルのスクリプトと字幕を比較した場合の等価性(5)についても考察を試みる。

Point 1：日本語の文章では，前置きとして「現在の~時代には」など，長いフレーズが来ることがよくあります。In today's multi-media age, ... のような短いフレーズにするほうがすっきりします。

Point 2：「~かどうかの問題があるにせよ」については，It is still debatable whether ... を使ってもよいでしょう。

Point 3：修飾部分がたいへん長いです。including ... や関係代名詞を上手く使って，次のように訳してみたらどうでしょう。
non-verbal clues (information), including voices, images and audiovisual effects that reach them through multi-communicative channels

Point 4：さまざまな接続詞を使うことができますが，前文の内容から後文の内容につながっていく場合は，henceなどの接続詞を使うことができます。

Point 5:「等価性」は翻訳理論でよく使う用語です。equivalence という専門用語をきちんと押さえて訳しましょう。

試訳

In today's multi-media age, various forms of translation are produced for a number of different purposes, and movie subtitling is one of them. It is still debatable whether movie subtitles are strictly a translation, but people generally accept movie subtitles as a translation in written form. Subtitle translators use the original script as a source text, but at the same time they refer to non-verbal clues, including voices, images and audiovisual effects that reach them through multi-communicative channels. They treat all of them together as *one* source text. This paper discusses how such non-verbal information affects the translation processes, hence how much equivalence could be achieved between the original script and the subtitles.

☞ まとめの重要ポイント

- 論文の背景知識や専門用語をチェックする
- 無生物主語を使い，できるだけ能動的な文にする
- 論文にふさわしい，格調の高い文体にする

◆練習問題◆

1.

映画字幕は，長い間，翻訳の一分野として認識されてこなかったが，最近では，視聴覚翻訳の一つとして定義されている。ただし，画面に載せられる字幕の文字数には制限があるため，字幕は翻訳プロセスにおいてさまざまな調整を経なければならない。その中で最も困難なものが，文化に特有で，文化に根差した語彙や表現の転換である。字幕翻訳者たちは，あらゆる手法を使い，翻訳の等価，文化的等価を試みている。本稿では，収集した字幕サンプルをもとに，どのような手法がそれぞれの字幕に使

われたかについて分類を試みるとともに，それらの手法が理想の等価を実現するためにどう役立っているかを検証する。

2.

3,000億円と言われる今日の日本国内の翻訳市場で，分野別の割合でトップを占めるのはコンピュータ分野である（日本翻訳連盟，2006）。翻訳市場全体の30%がコンピュータ分野で，20%強で科学・工業技術の分野が続く(ibid.)。この二つの分野だけでも市場全体の50%以上を占めることになる。出版や映像翻訳の分野は市場規模で見ると5%にも満たない。コンピュータや技術分野の翻訳分野では，翻訳作業をローカリゼーションとして捉え，翻訳支援ツールなどを駆使した作業の効率化につとめている。これはいわゆる文芸や出版翻訳という作業との相違点も多い。翻訳支援ツールを使う作業をひとつ挙げても，翻訳作業自体にさまざまな違いや規制がある。本稿では，ローカリゼーションという分野に焦点を絞り，この分野の翻訳作業の特徴を説明する。また従来から研究されてきた翻訳研究の観点からローカリゼーション翻訳の問題点とこの分野の動向を観察し，相違点と今後の研究課題を提議する。（『翻訳研究への招待』）

VII　論説

最後に，論説の翻訳に挑戦します。論説とは，ジャーナリストや知識人たちが，あるテーマのもとに自分の意見を展開する文章のことです。一般的なテーマを扱うことも多いですが，そのテーマを専門にする人たちを対象に書かれる場合もあります。

そもそも論説とは，著者が何かを訴えたくて書くものですから，それが読者に十分に伝わらなくては意味がありません。そのためには，まず文章全体を何度も読み，著者の意見や主張を確実に理解することが大切です。

次に，文章はいくつかの段落に分かれているので，段落ごとに著者が言いた

いことは何かを考えてみましょう。それを踏まえた上で，段落中の文と文が論理的につながっていくように訳していきます。それをまったく考慮せずに頭から一行ずつどんどん訳してしまうと，最終的に何を言っているのかまったくわからない訳文になってしまう可能性があり注意が必要です。

さらに論説では，論文と同じように格調の高い表現や専門的な語彙が多く用いられます。しかし，論文に比べて一般の人が読む可能性が高いので，簡潔でリズムのよい，読みやすい訳文にします。著者があたかも読者に向けて語りかけているような口調で書くと効果的です。

最後に，論説は社会的なテーマを扱うことが多いので，翻訳者は政治・社会，経済・金融，環境など，幅広い知識を持っている必要があります。そのような知識がないと，専門性が高く，抽象的な書き方をしている論説では，文章の奥に隠れた深い意味を汲みとる，つまり行間を読むことできません。訳す前にテーマに関係する図書や文献を読んだり，下地になる知識をしっかり頭に入れてから訳し始めましょう。

◆実際に訳してみよう！

以下は，経営工学に関する論説の一部です。原文を何回か読み，論旨を十分につかんだ上で，わかりやすい英文に訳してみましょう。

例題1

　一昔前に比べると，「技術」(1)という言葉の意味合いは大きく拡大している。製品・商品などのハード，ハードを作る製造プロセス，それをスムーズに動かすソフトなど，それらすべてを抱合したものを「技術」と言う(2)。　さらに最近では，それらの技術を効果的，効率的に市場で生かす仕組みであるビジネスモデルも「技術」と見なされるようになってきた。

　「技術」を生かすすべがマネジメントである。技術の進展に伴い，マネジメント自体も変化してきた。ハードを要求通りに仕上げるマネジメント(3)は，T型フォードの大量生産方式とともに誕生した。良質な製品を効率的に製造するために，分業や意志決定遂行の仕組みが作られた。

> さらに，ハードだけでなく，その製造プロセスを「カイゼン(4)」することで，製品の価値が飛躍的に向上した。QCからTQMへ(5)の流れである。
>
> 　さて，市場にハードが溢れだすと，当然プロセス「技術」も変化し始めた。少品種大量生産から多品種少量生産へ(6)の転換である。さらには，スウェーデン車のボルボで始まった「一個づくり」(7)が，最も効果的で効率的な生産方式となる分野が増えてきた。
>
> 　コンピュータソフトは，決められた繰返し的な業務には強いが(8)，その時々で何が要求されるかわからない対象に対しては，まだ工夫の余地がある。結果として，最高にフレキシブルな製造ラインは，人であるということになり，T型フォード時代前に戻ったかのようである(9)。しかし，現代人はコンピュータが与えるデータに支援されている。その「データ」が「技術」により「情報」となり(10)，「知識(Knowledge)」となり，「知恵(Wisdom)」へと，より高度な形で提供されることになれば，人は驚くほどの馬力を出し，たいして訓練を受けていない人たちでも対応できるようになる。
>
> 　そのような仕組みを創り出すのがビジネスモデルであり(11)，「優れたビジネスモデル」は価値創造につながり，結果的に人類に貢献することになるだろう。

Point 1：日本語で「　」に入っているものは，英語では，"　"で括る，またはイタリックで表すなどの方法があります。

Point 2：このようにたくさんのものが並列で並んでいる場合，コロンの使用が便利です。例えば，まず，It (The term "technology") encompasses much a broader meaning to include:とし，そのあとに並列する事項を順に書きます。

Point 3：a type of management, under which products were made by perfectly meeting customers' needsのように，前置詞＋関係代名詞を使って訳せます。原文では誰の要求か書いてありませんが，当然カスタマー(顧客)のことであると解釈してこのように訳します。

Point 4：経営の分野では，すでに *kaizen* という英語になっています。このような外来語を使う場合はイタリックにし，カッコを使って，(continuous improvement) と説明を加えるのも一つの方法です。

Point 5：原文では，「QCからTQMへ」となっていますが，英語ではできるだけacronym (頭字語) はスペルアウトします。(　　) の中に，それぞれ，Quality Control, Total Quality Management と入れておくほうがよいでしょう。

Point 6：それぞれ，mass-production, mass-customization という専門用語に相当します。グーグル検索で，mass-customization の定義を確認してみましょう。(＊ "A process whereby small lots of individualized parts or products are produced. The opposite of mass production whereby large numbers of identical parts or products are produced.")

Point 7：同じく「一個づくり」には，cell production という専門用語が相当します。一つの製品のパーツを複数の人が別々に担当して最後に組み立てるのではなく，個人もしくはチームが一つの製品を責任持って最後まで仕上げる方式のことです。

Point 8：直訳せず，Computer software works excellently for ... というように動詞文にすると，ダイナミックな訳になります。

Point 9：「～時代前へ戻ったかのようである」という部分は，This reminds us of the old days of ... のように，無生物を主語に立てると上手に訳せます。

Point 10：ここでも，無生物主語を立てるとスムーズに訳せます。Technology helps transform such data into *information*, ...

Point 11：最後は，強調構文を使ってみましょう。It is "good business models" that can assist ... と訳すと，インパクトのある文になります。

試訳

The term, "technology" has had its definition widened from a generation ago. Today, it encompasses much a broader meaning to include: *hardware*, products and goods, *production processes*, which generate hardware, and *software* that makes these production processes work smoothly. All of these are called "technologies," and a recent addition to them is *the business model*, a system that makes most effective and efficient use of these technologies in the marketplace.

What makes technologies work at their best is "management." And "management" has evolved into various new forms in keeping with technological evolution. The mass production of Ford Model-T automobiles required a certain type of management, under which products were made by perfectly meeting customers' needs. New concepts were adopted then: the division of labor and a more flexible implementation of decision making, and these allowed high-quality products to be developed in the most efficient way. Furthermore, applying *kaizen* (continuous improvement) to production processes dramatically upgraded the total value of a product. This is a movement from QC (Quality Control) to TQM (Total Quality Management).

Now, with an overflow of products on the market, the production process technology has begun to shift from mass-production to mass-customization. *Cell production*, which started with Swedish automaker Volvo, is considered as the most effective and efficient production process in more and more industrial fields.

Computer software works excellently for repetitive, routine jobs but not so much for the ones that rarely happen, or those that fluctuate at times. The most flexible player at the moment seems to be *man*, and this reminds us of the old days of the Model-T Ford. But what makes *modern man* different from a few generations ago is that we are assisted by *computer data*. Technology helps transform such *data* into *information*, and then sophisticate it into *knowledge* or even *wisdom*. This enables *man* to become extremely skillful, and even untrained workers are able to cope with most problems involved in software development.

It is "good business models" that can assist modern management to create the above-mentioned mechanism and accordingly, they will bring more value to society and contribute to human life.

☞ **まとめの重要ポイント**
- 文章全体を読み，著者の主張，意見を理解する
- 段落ごとに，主旨や論理の流れをつかんで訳す
- 簡潔で，リズムのよい文体にする

◆ 練習問題 ◆

以下は，例題でとりあげた文章の続きです。前の文章からの流れを考えながら，訳してみましょう。

ところが，「ソフト」開発のプロジェクトは，「ハード」に比べ，マネジメントしづらいと言われる。なぜなら，「存在」が見えず，そのため開発進捗がわかりにくい。品質も評価しづらく，客観的な物差しを持ち難い。二つと同じものがない。人の努力に依存するが，ハードのように，汗を流して長時間働く労働者が良い品質の製品を作るとは限らない。そこで考える。このような「創造」を必要とする分野に，マネジメントが貢献できないのであろうか。

企業の経営（コーポレートマネジメント）では，日常のオペレーション中心の業務をマネジメントするビジネスマネジメントという分野と，特定の目標を持ち，ある期間内にその目標を達成するプロジェクトマネジメント分野がある。

縦型の組織のしっかりした日本型組織では，伝統的な年功序列とチームワークを基盤として，一つの日本型ビジネスマネジメントスタイルを作り上げてきた。良質の中間管理職と均質なパフォーマンスを提供する労働者は，大量生産には有効であった。

しかしながら，他とは違う製品を求める消費者の増加とともに，日本企業はプロジェクトチームを次々と指名して，組織横断的に「異業種」を集め，横組織によるプロジェクトやサービスを創造しなければならなくなった。そこでは，あくまで年功制度を温存しながら，時には有能な若手を抜擢して，目的を達成したのである。

　一方，企業活動の主要部分をすべてプロジェクト体制にて実施するというエンタープライズ・プロジェクトマネジメント（ＥＰＭ）というコンセプトが米国で提唱されている。企業活動を横組織で運営するためには，米国のように，人々が「就社」でなく「就職」し，外部コンサルタントの採用が定着している社会では有効である。時代の流れとして，日本でも個々の職種の専門化が進み，異業種のプロフェッショナルの人々を，マネジメントのプロがマネジメントする時代が来ることを期待する。

（日本経営工学会『経営システム誌』）

Acknowledgement

金平聖之助／香取芳和／山田優／光藤昭男／(社)日本翻訳連盟／神戸女学院大学文学研究科修士課程の皆さん／東京外国語大学外国語学部英語専攻，国際コミュニケーション・通訳特化コースの皆さん，同大学院地域文化研究科国際コミュニケーション・通訳専修コースの皆さん／日本エマソン株式会社

脚注引用

(1) 中田清一「句語彙項目：言語理論の交差」『青山国際政経論集』61号，2003年，青山学院大学国際政治経済学部
(2) 同上
(3) 井上永幸「挿入句としての直接話法伝達部」，六甲英語学研究会編『現代の言語研究』1998年，金星堂
(4) 水野的「翻訳における認知的負荷と経験的等価：読者の文理解と作動記憶をめぐって」『翻訳研究への招待2』，2008年，日本通訳学会翻訳研究分科会
(5) 水野的「同時通訳における方略について」，2008年，IJET-19 in Okinawaでの発表論文

引用文献

安西徹雄『英文翻訳術』1995年，筑摩書房（ちくま学芸文庫）
Baker, Mona. *In Other Words: A Coursebook on Translation*. 1992, Routledge
二葉亭四迷『平凡(他六篇)』1978年，岩波文庫
Hatim, Basil. *Teaching and Researching Translation*. 2001, Pearson Education
本多勝一『日本語の作文技術』1982年，朝日新聞社出版局（朝日文庫）
小正幸造『すぐれた英語翻訳への道』1989年，大修館書店
共同通信社『記者ハンドブック　第10版　新聞用字用語集』2007年
森岡健二『欧文訓読の研究：欧文脈の形成』1999年，明治書院
サリンジャー・J・D／野崎孝訳『ライ麦畑でつかまえて』1984年，白水社
サリンジャー・J・D／村上春樹訳『キャッチャー・イン・ザ・ライ』2003年，白水社
山岡洋一『翻訳とは何か：職業としての翻訳』2001年，日外アソシエーツ
WordNet site (http://wordnet.princeton.edu/)
山田優「ローカリゼーションにおける翻訳と翻訳理論研究」，『翻訳研究への招待』，2007年，日本通訳学会翻訳研究分科会
光藤昭男「独創性にチャレンジ：日本経営工学会に期待する」『経営システム誌12巻』第1号，2002年，日本経営工学会（一部修正して掲載）

出典記事一覧

pp.123, 124	Voice of America, May 4, 2007
pp.125, 126	*The Japan Times*, January 26, 2008
pp.127, 129	*The New York Times*, July 23, 2006
	From *The New York Times*, July 23 © 2006 The New York Times all rights reserved. Used by permission and protected by the Copyright Laws of the United States. The printing, copying, redistribution, or retransmission of the Material without express written permission is prohibited.
pp.130, 131	Emerson Electric Company
pp.133, 134	Peter Coy, *BusinessWeek*, April 30, 2007
pp.136, 137	Mark Niesse, AP, February 19, 2008
pp.139, 140	© The Economist Newspaper Limited, London, November 22, 2007
pp.142, 144	Francis S. Collins, Karin G. Jegalian, *Scientific American*, December 1999
pp.145, 147	Steven L. Kent, *The Japan Times*, November 13, 2003
pp.150, 151	Julie Tay, Hiromi Horie, Bloomberg, September 8, © 2005 Bloomberg L.P. All rights reserved. Reprint with permission.
pp.154, 155	Akhlesh Lakhtakia, An Electric Journal of the U.S. Department of State, October 2005
pp.157, 159	Michael J. Bandler, An Electric Journal of the U.S. Department of State, February 2000
pp.161, 163	Sumiko Oshima, *The Japan Times*, January 15, 2001
pp.166, 167	An Electric Journal of the U.S. Department of State, February 2005
pp.168, 170	John Shepherd, *Nature*, February 14 © 2008, Nature Publishing Group
pp.171, 173	Walter Pater, *The Renaissance in Art and Poetry*, 1837, Project Gutenberg

●著者紹介●

田辺希久子（たなべ きくこ）

英日ノンフィクション出版翻訳者。訳書に『翻訳研究のキーワード』（共訳，研究社），『通訳翻訳訓練』（共訳，みすず書房），『真のダイバーシティをめざして』（共訳，SUP上智大学出版）他多数，著書に『Practical Skills for Better Translation』（共著，マクミランランゲージハウス）。青山学院大学国際政治経済学研究科修士課程終了。日本通訳翻訳学会会員。本書では英日翻訳を担当。

光藤京子（みつふじ きょうこ）

執筆家・コンサルタント（TAS＆コンサルティング）。通訳翻訳の実務・指導経験を生かした学習書や記事を多数執筆。著書に，『働く女性の英語術』（ジャパンタイムズ），『Practical Skills for Better Translation』（共著，マクミランランゲージハウス），『何でも英語で言ってみる！―シンプル英語フレーズ2000』（高橋書店），『誤訳ゼロトレーニング』（秀和システム）他。日本通訳翻訳学会会員。本書では日英翻訳を担当。

<ruby>英<rt>えい</rt>日<rt>にち</rt>日<rt>にち</rt>英<rt>えい</rt></ruby>
プロが<ruby>教<rt>おし</rt></ruby>える<ruby>基礎<rt>きそ</rt></ruby>からの<ruby>翻訳<rt>ほんやく</rt></ruby>スキル

2008年10月15日　第 1 刷発行
2023年 6 月15日　第14刷発行

著　者　田辺希久子　光藤京子
発行者　前田俊秀
発行所　株式会社三修社
　　　　〒150-0001　東京都渋谷区神宮前2-2-22
　　　　TEL 03-3405-4511
　　　　FAX 03-3405-4522
　　　　振替 00190-9-72758
　　　　https://www.sanshusha.co.jp
　　　　編集担当　菊池　暁
印刷所　萩原印刷株式会社

本文組版　WALK ON STUDIO
カバーデザイン　銀月堂
カバー写真　David Joyner
英文校閲　デイビッド・パーマー

© Kikuko Tanabe, Kyoko Mitsufuji 2008 Printed in Japan
ISBN978-4-384-05506-1 C2082

[JCOPY] 〈出版者著作権管理機構　委託出版物〉

本書の無断複製は著作権法上での例外を除き禁じられています。複製される場合は、そのつど事前に、出版者著作権管理機構（電話 03-5244-5088 FAX 03-5244-5089 e-mail: info@jcopy.or.jp）の許諾を得てください。

Building Translation Skills

英⇔日 プロが教える基礎からの翻訳スキル

田辺希久子
光藤京子

別冊
練習問題の解答

三修社

入門編

P23

1. 横軸に「著者（性別・職業・時代など）・目的・読者対象」、縦軸に「原文・翻訳」の項目を立て、表を埋めていきます。一見、あたりまえすぎる作業に思えますが、一覧表にまとめることによって、さまざまな発見があります。「原文の目的」や「翻訳の目的」については、例えば「情報の表示informative」「書き手の表現行為expressive」「読者への働きかけoperative」という3機能で分類するなど、一定の枠組みを用意するとよいでしょう。さらに詳しく行うには、原著者・訳者以外のプレイヤー、例えば出版社、クライアント、編集者などの役割を考えてみるのも面白いでしょう。

2. 以下は企画書の一例です。ここに掲げた項目は、出版社が日本語版の出版の可否を決めるうえで有力な判断材料となる情報ばかりです。漏れなく正確に記しましょう。翻訳企画は翻訳する人がどれだけ情熱をもっているかもポイントとなります。「企画の意図」のところは思いを込めて。また企画書の文章によって翻訳者の日本語力が判断されます。意識して言葉を磨きましょう。

翻訳企画
- ■書名　　イン・アザー・ワーズ（言い換えれば）——翻訳の教科書
  In Other Words—a coursebook on translation
- ■著者　　モナ・ベイカー　Mona Baker
- ■版元　　ラウトレッジ　Routledge
- ■翻訳予想枚数　　本文400字×900枚程度
- ■目次

序文
謝辞

1 はじめに
（中略）
用語解説
文献リスト
文献著者別索引
言語別索引
テーマ別索引

■企画の意図
（略）

■カバー裏コピーの訳
「翻訳理論や翻訳実務を教える者にとって必読の文献」——デーヴィッド・ハリス、英国翻訳通訳協会（ITI）副会長
「達意の文章できめ細かく巧みに論じられ、内容もきわめて興味深い。多彩な事例は情報の宝庫であり、練習問題も効果的。翻訳に対する考え方がほどよく柔軟である」——ピーター・フォーセット（ブラッドフォード大学）
「翻訳の世界で日常的に出会う経験とたえず結びつけて書かれた、きわめて実際的な教科書」——ラナ・カステラーノ（翻訳家）

本書は現代の言語理論の主要分野を概観し、これを翻訳をめぐるさまざまな問題や方略に体系的に結びつけることにより、体系的な翻訳学習のニーズに応えるものである。諸言語のすぐれた翻訳事例を検討することにより、さまざまな翻訳手法を分析している。言語学や外国語の知識は特に必要としない。各章の冒頭で、その章で扱う主要な言語学的概念が紹介され、章末には練習問題が設けられている。理論と実践にバランスよく目配りした本書は、プロ翻訳者養成のためのしっかりした基礎を提供してくれる。

著者モナ・ベーカーはフリーの翻訳講師・翻

訳コンサルタント。マンチェスター大学の名誉特別研究員，英国文学翻訳センターの諮問委員を務める。

■試訳
(略——本文の一部をサンプルとして訳します。翻訳力のアピールの場でもあります)

3．(略)
4．(略)
5．グロサリーの作り方はP20を参照。
6．(略)

基礎編
英日翻訳

P32（I 単語のニュアンスをつかんで訳す）
1．
1) スミスは怒濤の一週間を，チーム新記録となる10タックル，2サック，1フォーストファンブルを含むパフォーマンスで締めくくった。(英英辞典にいろいろ訳語があるはず。その中から文脈に最もふさわしいものを選ぶ)

2) ヘイマン医師は，H5N1は動物の病気だと言う。ヒトからヒトへの感染事例は散発的にしか起こっていない。(英英辞典のoccasionalの説明の一例 = happening or done sometimes but not often)

3) チャドは最近，産油国となった。このことがこの国の経済的・政治的重要性を高めたと一部の専門家はいう。(stakeはもともと賭け金のこと。いろいろな意味があるが，例えばMerriam-Websterのオンライン辞書にあるan interest or share in an undertaking or enterprise =「ある行為，企てにおける利害や参加のこと」などがこの文脈にあてはまる。政治経済関連でよく使われる用法。オンライン環境なら，英辞郎でraise stakesで引いても「重要性を増す」という訳語が出る)。

4) アメリカの外交担当者たちが，中東和平プロセスへの新しい考え方を提案した。(insightはdefine検索では「複雑な状況への明快な理解 the clear understanding of a complex situation」などの定義が見つかる。英辞郎ではfresh insightとして「新たな見方」という訳語が出ている)

5) イギリスでテロ計画が発覚したというニュースは，国内のイスラム社会に衝撃を走らせた。

6) 小泉首相は議論の的となっている靖国神社の参拝を行い，中国政府の怒りを買った。靖国神社は戦犯として告発された人々の一部も含め，第二次大戦の戦死者の魂を祀っている。(「異論の多い」などを使ってもよい)

7) ライス国務長官はシリアについて，アメリカは同国と緊張関係にあるとはいえ，シリア政府を先月開かれたアナポリスでの中東和平会議に招待した点を強調した。シリアはこの会議で，イスラエル占領下にあるゴラン高原のシリア返還も含む総括的地域協定の締結を主張することができた。(Damascusは首都で政府を代表するメトニミー（換喩）表現。このほかpeace conference, make one's case, regional accordなど，国際政治分野に頻出するフレーズ表現に注意してふさわしい専門用語を選ぶ)

2．(略)

P36（II 品詞の転換）
1) 複雑な状況を明確に理解することが競争力につながる。〔名詞を動詞にして読みほどく〕

基礎編　英日翻訳

2) 彼らが力を合わせてがんばってくれたおかげで，私たちはジェンダー問題に深い理解を得ることができた。〔名詞を動詞にして読みほどく〕
3) パキスタン政府による，近く行われる選挙を公正に行うことの欠如は，国際社会に受け入れられないだろう。⇒パキスタン政府が近く行われる選挙を公正に行わなければ，国際社会は黙っていないだろう。〔名詞を主語＋動詞にして読みほどく〕
4)「終わりが見えない」とその男性は言った。
5) 病気の中には小児麻痺など，免疫療法によって実際に完全に撲滅できるものもある。（形容詞を動詞に）
6) WHO（世界保健機関）の職員によれば，イラクのクルド人居住区では暴力による死者はほとんどない。（形容詞を副詞に）
7) 疲れた頭は，あなたを幸せな気分にしてくれない。⇒頭が疲れていると，幸せな気分になれない。〔無生物主語→副詞句に〕
8) この研究は学生たちに，エネルギー効率が高く汚染物質を排出しない調理用レンジに燃料を供給するような，より小さな燃焼室の開発を可能にした。⇒この研究により，学生たちはエネルギー効率が高く汚染物質を排出しない調理用レンジのための，より小型の燃焼室を開発できるようになった。〔無生物主語を副詞句に〕
9) 過去数年のアメリカの貿易政策の変換は，ブルキナファソを含むサハラ砂漠以南の国々に，衣料品などの一部商品を無税でアメリカに輸出することを可能にした。⇒過去数年のアメリカの貿易政策の変換で，ブルキナファソを含むサハラ砂漠以南の国々が，衣料品などの一部商品を無税でアメリカに輸出できるようになった。〔無生物主語を副詞句に〕
10) これらの部屋は来客のために予約されています。⇒これらの部屋は来客専用となっています。〔無生物主語の受動態→自動詞〕
11) 心の中の壁が，我々一人ひとりによって取り除かれなければならない。→我々一人一人が，心の中の壁を取り除かなければならない。〔受動態→能動態〕
12) ポルトガル語はブラジル人によって話されている。→ブラジル人はポルトガル語を話す。〔被害・利益をともなわない受動態→主語の入れ替え〕
13) その家はジェンキンスさんが借りていたようだ〔被害・利益をともなわない受動態→主語の入れ替え〕。

P41 (Ⅲ イディオムとフレーズ表現)

1) セリーナ・ウィリアムズは非常に才能あるテニスプレイヤーで，テニスの達人である。
2)「多くの人が，自分の暮らしを立てながら，世の中に重要な貢献をすることができると思う」〔make a differenceは会話的な表現であることに注意〕
3) 面長の人はボブスタイルは避けましょう。いっそう顔が長く見えてしまいます。
4) ニューヨークタイムズ紙は，中東和平交渉の前途は厳しいと予測している。
5) 彼は死んでもおかしくなかったが，実際にはかすり傷を負っただけだった。
6) この議員の姿勢が，彼を自分の党やブッシュ大統領と対立させた。／この議員はその姿勢ゆえに，所属政党やブッシュ大統領と対立することになった。
7) コンピュータのプログラムを書くのは，誰にでもできることではない。
8) キャリアの道を選ぶとき，二兎を追うことはできない。
9) はったりを利かせて敵を攻撃するのは賢明な選挙戦術に見えるかもしれないが，危険なやり方でもある。

10) 連邦法は学校や職場での機会均等に対する女性の権利を認めている。

P45 (Ⅳ 長文の攻略 (1)
　　　　──分詞構文，関係詞構文)

1) I like all the movies that are directed by Steven Spielberg.
私はスティーブン・スピルバーグが監督した映画は全部好きだ。〔allは形容詞から副詞に品詞転換するとうまく訳せる〕

2) The number of people who are applying for unemployment compensation shot up sharply by 69,000 to a total of 375,000.
失業手当を申請している人の数は6万9000人も急増し，合計37万5000人となった。

3) An enormous number of plastic bags were thrown away. These bags were taking up landfills and clogging waterways.
おびただしい数のレジ袋が捨てられている。これらの袋はごみ処理場を埋め尽くしたり，水路の流れをせき止めたりしている。→膨大な数のレジ袋が捨てられて，ごみ処理場を埋め尽くしたり，水路の流れをせき止めたりしている。〔順送りのみ可能。分詞節が時間的にあと，ないし結果を表していることに注意〕

4) We installed solar panels. Our yearly energy bill was reduced by 50%.
私たちはソーラーパネルを設置した。私たちの年間の光熱費は半減した。→ソーラーパネルを設置したあと，私たちの年間の光熱費は半減した。〔順送りのみ可能〕

5) A recession is looming. People are considering making changes to their investment portfolio.
不況が近づいている。人々は投資ポートフォリオの変更を考えている。→不況が近づくなか，人々は投資ポートフォリオの変更を考えている。〔順送りのみ可能〕

6) The soldier was shot in the lower back. The soldier remembers being thrown on a stretcher.
兵士は腰を撃たれた。兵士は担架に乗せられたのを覚えている。→腰を撃たれた兵士は，担架に乗せられたのを覚えている。〔順送りのみ可能。過去分詞の分詞構文がわかりにくいときはbeingを加えてみましょう→Being shot in the lower back, the soldier …〕

7) Senator Clinton was asked by the host if she ever considered a movie career. Senator Clinton was unable to stifle a guffaw.
クリントン上院議員は司会者から映画界への進出を考えたことがあるかと質問された。クリントン上院議員は爆笑をこらえることができなかった。→司会者から映画界への進出を考えたことがあるかと質問されたクリントン上院議員は，爆笑をこらえることができなかった。〔順送りのみ可能〕

8) Les Paul decided to combine different guitar sounds. Les Paul mixed in the voice of his wife, singer Mary Ford.
レスポールはさまざまなギターの音をサンプリングすることにした。レスポールは妻で歌手のメアリー・フォードの声をミックスした。→レスポールはさまざまなギター音をサンプリングすることにし，そこに妻で歌手のメアリー・フォードの声をミックスした。〔順送りのみ可能。主節と分詞節が時系列に従って並んでいることに注意〕

9) The only exceptions to smoking ban are some commercial establishments. They (These establishments) provide sealed smoking areas with separate ventilation systems.
禁煙法の唯一の例外は一部の商店である。

これらの店は，専用の換気装置のある，隔離された喫煙室を設けている。→（順送り）禁煙法の唯一の例外は一部の商店で，これらの店は専用の換気装置のある，隔離された喫煙室を設けている。／（逆送り）禁煙法の唯一の例外は，専用の排気装置のある，隔離された喫煙室を設けている一部の商店である。〔順送りには「一部の」を加える工夫が必要〕

10) A pilot loses visual references while flying at night. The pilot can become disoriented, unable to tell up from down, right from left.
パイロットが夜間に飛行するときは，目視基準がなくなる。パイロットは方向感覚を失い，どちらが上か下かも，右か左かもわからなくなる。→（順送り）パイロットは夜間飛行で目視基準がなくなると，方向感覚を失い，どちらが上か下かも，右か左かもわからなくなる。〔P56⑤参照〕（逆送り）夜間飛行で目視基準がなくなったパイロットは，方向感覚を失い，どちらが上か下かも，右か左かもわからなくなる。

11) Blaring car horns and crackling firecrackers resounded throughout Pristina. Pristina's streets (The streets of Pristina) were crowded with thousands of jubilant people.
クラクションの鳴る音やクラッカーのはじける音がプリシュティナ全体に響き渡った。プリシュティナの街は歓声をあげる何千もの人々であふれた。→（順送り）クラクションの鳴る音やクラッカーのはじける音がプリシュティナ全体に響き渡り，街は歓声をあげる何千もの人々であふれた。（逆送り）クラクションの鳴る音やクラッカーのはじける音が，その街が歓声をあげる何千もの人々であふれたプリシュティナ全体に響き渡った。〔逆送りはやや不自然〕

12) When the price of rice doubles overnight, people face a situation. In this situation, most families don't even have enough money to feed their children.
米の値段が一夜にして倍になったとき，人々はある状況に直面する。この状況においては，大部分の家族が子どもに食事をさせるお金すらない。→（順送り）米の値段が一夜にして倍になったとき人々が直面する状況とは，大部分の家族が子どもに食事をさせるお金さえないという状況である。(逆送り)米の値段が一夜にして倍になったとき，人々は大部分の家族が子どもに食事をさせるお金すらないという状況に直面する。〔where は in which と同じと考えて2文に分ける〕

P50〔Ⅴ 長文の攻略 (2)
—— 同格構文，挿入構文，複々文〕

1.
Members of the two-time world champion Los Angeles Sparks, that city's women's team, garner as much "show time", as their players might say, on any given game day in the plush downtown Staples Center as the men who play for the Lakers, the National Basketball Association (NBA) team that sponsors the Sparks.

↓　　↓　　↓

Members of the two-time world champion Los Angeles Sparks garner as much "show time" on any given game day in the plush downtown Staples Center as the men.
The Los Angeles Sparks is that city's women's team.
"Show time" is what their players might say.
The men play for the Lakers.
The Lakers is the National Basketball Association (NBA) team.

The Lakers sponsors the Sparks.
二度のワールドチャンピオンに輝いたロサンゼルス・スパークスのメンバーたちは毎試合，ダウンタウンにある華麗なステープル・センターで，男子チームに負けない「ショータイム」を繰り広げている。
スパークスはロサンゼルスに籍を置く女子チームである。
「ショータイム」とは選手たち自身の言葉である。
男子チームはレイカーズである。
レイカーズはNBA（全米プロバスケット連盟）に所属するチームである。
レイカーズがスパークスの運営母体である。

二度のワールドチャンピオンに輝いたロサンゼルス・スパークスは，ロサンゼルスに籍を置く女子チームである。毎試合，ダウンタウンにある華麗なステープル・センターで，男子チームに負けない「ショータイム」を繰り広げていると，メンバーたちはいう。男子チームはレイカーズといい，NBA（全米プロバスケット連盟）に所属し，スパークスの運営母体でもある。

2．
1) このホテルは，正直言って，期待はずれだった。〔逆送り〕正直言って，このホテルは期待はずれだった。
2) この国はかつて，実を言うと，閉鎖的な一党独裁国家だった。〔逆送り〕実を言うと，この国はかつて閉鎖的な一党独裁国家だった。
3) 世界中がエタノールを燃料としてだけでなく，燃料添加剤（環境上の理由から使われなくなったアンチノック剤MTBE＝メチルターシャリーブチルエーテルに代わるもの）として注目する中，ブラジルはエタノールの輸出を加速している。〔逆送り〕世界中が燃料や，環境上の理由から使われなくなったアンチノック剤ＭＴＢＥ（メチルターシャリーブチルエーテル）に代わる燃料添加剤としてのエタノールに注目する中，ブラジルはエタノールの輸出を加速している。
4) 2004年のクリスマスの翌日にスリランカが津波に襲われたあと，フィジシャン・フォー・ピース（世界中で医療援助を行うNPO組織）には支援を申し出る人々から連絡が入った。〔逆送り〕2004年のクリスマスの翌日にスリランカが津波に襲われたあと，世界中で医療援助を行うNPO組織のフィジシャン・フォー・ピースには支援を申し出る人々からの連絡が入った。
5) マーティンは先天的に変形・萎縮した脚（退行性循環障害によるもの）をもつにもかかわらず，プロのゴルフトーナメントで優勝した。〔順送り〕マーティンの先天的に変形・萎縮した脚は退行性循環障害によるものだが，彼はそれにもかかわらずプロのゴルフトーナメントで優勝した。〔逆送り〕マーティンは退行性循環障害による先天的に変形・萎縮した脚をもつにもかかわらず，プロのゴルフトーナメントで優勝した。
6) ポール・ニューマンのファンは，彼の演じる「ファースト・エディ」ことエディー・フェルソン（三流だが，天才的で我が強く，破滅型の性格のハスラー）に惚れ込んでいる。〔逆送り〕ポール・ニューマンのファンは，彼の演じる三流だが天才的で我が強く，破滅型の性格のハスラー「ファースト・エディ」ことエディー・フェルソンに惚れ込んでいる。
7) マンクーゾは霧と吹雪の中，ジャイアント・スラロームで優勝した。これはアメリカにとって22年ぶりの勝利だ。〔逆送り不可能〕

P57（Ⅵ 順送りの訳，逆送りの訳）

1．
1)〔順送り〕小泉首相は2001年に権力を握った。党員からの大量の一般投票が党幹部達を押し切ったあと，ようやくのことだった。
〔逆送り〕小泉首相は党員からの大量の一般投票が党幹部達を押し切ったあと，ようやく2001年に権力を握った。
2)〔逆送り〕△3台の車によるカーチェイスによって続かれたその事件は，駅の近くで起きた。
〔順送り〕その事件は駅の近くで起き，その後，3台の車によるカーチェイスとなった。
〔1)は第1の事態と第2の事態が時系列と逆に，2)では時系列に従って並んでいます。いずれの場合も，日本語のセンテンス内で時系列に逆らう順番を実現するのは難しいことがわかります。特に2)のように，英語が時系列に従った順番になっている場合，日本語訳でこれを逆送りに訳すのはかなり難しくなります〕
3)〔逆送り〕岡田氏は，日本代表を2010年のW杯出場へと導くために監督に復帰した。
〔順送り〕岡田氏が監督に復帰したのは，日本代表を2010年のW杯出場へと導くためだ。
4)〔順送り〕クリスチアーノ・ロナウドはスピードと俊敏さを併せもち，得点王となった。
〔逆送り〕(×)クリスチアーノ・ロナウドは，得点王となるためスピードと俊敏さを兼ね備えた。〔意味が変わってしまう〕
〔3)と4)は，いずれも不定詞句を使った構文ですが，3)ではtoの後の部分が目的を表すのに対し，4)では結果を表している点に注意。to以下が結果を表す場合，これをひっくり返して前半にもってきて，自然な日本語にするのは難しい。P54の④を参照〕

2．〔Ⅳ，Ⅴ章の解答を参照〕

3．
アメリカ女性の現状は北欧と似ているが，就業率がやや低く，出生率が高い。アメリカ女性の出生率は2.05と，主要先進国の中で最も高い。アメリカでの女性の就業率は男性より12％低い（一方，スウェーデン女性の就業率は男性よりたった5％低いだけだ）。
〔前の段落の最後で「報告書の調査対象となった国々の中では，北欧諸国が働く母親の率が最も高く，ヨーロッパの地中海沿岸の国々が最も低い」と，北欧の例が出ています。「北欧女性」→「アメリカ女性」→「出生率が高い」→「アメリカ女性の出生率は」というように，しりとり構造になっているので，そのまま順送りで訳すとうまくつながります。Althoughに引っ張られて，「アメリカ女性は就業率がやや低く，出生率が高いが，北欧と似ている」と逆送りに訳すと，前とも後ろとも話がつながりません〕

P60（Ⅶ theを使った言い換え）

1．
1) 神式の結婚式には，若者に人気の指輪の交換や宣誓など，西洋風の結婚式の要素がたくさん入っているが，いくつかの宗教的儀式も含まれている。〔theyは人間を指すものと思い込みがちだが，ここではShinto-style weddingsを指す。無生物の複数もtheyで指すことを忘れないで〕
2) 野球，アメフト，バスケットボールについて考えてみよう。これらのスポーツはアメリカ固有のもので，アメリカで発明され，アメリカで最も熱狂的に支持されるスポーツである。
3) 脚本家兼監督のマーティン・マクドナーは，自分はブリュージュをこきおろしているわ

けではないと言う。この風刺的な映画のアイデアは，歴史ある町ブリュージュを訪れたときの経験から生まれたものだという。〔theを生かして「歴史あるこの町」と訳しても可〕
4) スペイン階段を上ると，私たちの前にローマ全体を見おろす絶景が広がった。壮麗なスペイン階段のてっぺんから日の出を眺めていると，この新たな冒険に対する疑念や恐れ，苛立ちがすっかり消え去った。〔the Spanish Stepsとはローマにある有名な「スペイン階段」のこと〕

2．〔該当記事の試訳と解答を参照〕

P62（Ⅷ 英日のレトリック）
1.
1) アル・ワリード王子は最新鋭の超大型旅客機，エアバスA380を個人用として購入した最初の人物だが，エアバス社幹部によれば，消費行動の高度をそこまで上げようという財力も意欲もある10人から20人が，今後現れる可能性があるという（飛行機にからめた言葉遊び）。
2) 世界最大のネット書店アマゾンが，組み伏せられて「まいった」と叫ぶことはあまりない。しかしニューヨークで興味深い戦いが始まろうとしている。売上税の徴収を計画しているニューヨーク州との間で法廷闘争となっているのだ。(battle＝戦いがキーワードになっている。Uncle Samはアメリカのこと。言葉遊びの訳出が難しい）

2．〔該当記事の試訳と解答を参照〕

P63（Ⅸ トップダウンで読む）
①については，本書に写真やイラスト入りの記事がないため，英語の新聞雑誌から材料を探してください。②は実践編Ⅸ章のディズニーランドの記事などが適しています。どんなアトラクションなのか，可能な限り鮮明にイメージしてください。その上でインターネット等で④背景知識（実際のアトラクションの様子）を調べましょう。③のライティングスタイルは実践編のⅠ，Ⅱ，Ⅲ，Ⅴ，Ⅶ，Ⅷ，Ⅸ章がよい例です。⑤の結束性は実践編のほとんどの記事にあてはまります。

P68（Ⅹ 英文のライティング・スタイル）
1．〔該当記事の試訳と解答を参照〕

2．
1) 消費者は国産ブランドでも輸入ブランドでもさほど気にしない。彼らが気にするのは品質と価格だ。最近は燃費の問題も出てきている。石油価格高騰の時代に，消費者は国内メーカーを守るために余計な負担を強いられたいとは思っていない。海外ブランドのほうが評価が高いと思っている人も多い。

これに対し，公的調達は時代遅れのままだ。例えば警察では，品質も性能もよくても，ボルボ車を買うところはほとんどない。スウェーデン企業であるボルボは，2000年より前にフォードに買収されているにもかかわらずだ。地域の役人たちは，相変わらず有権者からの反発を恐れているようだ。

2) 年齢は音楽家としてのレスポールに負担を強いている。1940年代の自動車事故の後遺症，また最近では関節炎のため，手や腕に痛みがある。そのため，ギターひとすじのレスポールは新しい演奏法を身につけざるを得なかったが，それで演奏が変わることはなかった。

年齢は発明家としてのレスポールをも変えることはなかった。むしろ年齢ゆえの着想が生まれている。昔に比べると耳が遠くなったので、目下の課題はこの問題を解決することだ。「もっと使い心地がよくて、よく聞こえる補聴器にしようとすれば、補聴器は改良されていく。これが今の私の仕事だ」と彼は言う。

3．
1) この会社はDM用ハガキから有名アーティストのデザインによるカラーカタログまで、何十種類もの製品を売っている。DM用ハガキの中にはモナリザが口のまわりを牛乳で白くした絵に「ご質問は？」と書かれたものもある。〔fromとtoの間にダッシュによる挿入があるので、ますます両者の関係を見失いがち。なお有名人が口のまわりを白くしたmilk mustacheの宣伝は、有名な牛乳の販促ポスターで、「牛乳飲んだ? Got milk?」のコピーが添えられている〕

2) 学習方法はそれぞれの学生の才能や性格、大学卒業後の進路に対するプランや目標によって決まってくる。〔With regard to their post-university careersの部分は、A and BのAとBの両方にかかる場合と、Bのみにかかる場合があり、そのつど文脈から判断する。この場合はBのみにかかっているので、Aはthe talent and temperament of the given students、Bはtheir plans and ambitions with regard to their post-university careersとなる〕

3) 政府の調査委員会に属する専門家たちは、病院での死亡事故の原因を突き止めるため、検死を行い、医療記録を調べ、関係者に面接を行う。〔A, B and Cというふうに、3つのアイテムをリストアップした例。この場合も、to determine the causes of the deaths in hospitalsの部分がA, B, Cのすべてにかかるか、Cのみにかかるかを文脈で判断する。この場合はA, B, Cのすべてにかかることは明らか〕

4) かつて、金持ちであることはひとつの場所に定住することだった。富裕な家庭は都会に豪邸を建て、田舎に週末を過ごすセカンドハウスをもち、それらの家に高価な芸術作品や織物などのファブリック、宝石、そしてもちろん使用人をそろえたものだ。彼らは地元の最高級の社交クラブに入り、レストランの常連となり、地元のオーケストラや美術館に寄付を行った。〔build, have, (then) stockという動詞のリストアップ、expensive artに始まる名詞のリストアップ、さらに最後のセンテンスにもbelong, frequent, supportという動詞のリストアップがなされていることに注意〕

P72
(XI 日本語と英語のパンクチュエーション)

1) このマンションには満足していない。というのも、壁や台所タイルにひびが入っているし、フローリングがゆがんでいる箇所もあるからだ。〔「というのも、つまり、からだ」のような補足を入れてコロンの意味を表現するとよい〕

2) ジョージはパーティは成功だったと思っているが、それは間違いだ。〔セミコロンをbutで置き換えて訳すとよい〕

3) 新しい開発地域には中世の城塞を模した建物があり、豪華なパンフレットによれば「その周辺はミュージシャンが演奏し、大道芸人が彩りを添えている」。大運河のほとりにはヨーロッパ風の商店が建ち並ぶ古風な一画、さらには住宅が建ち並ぶニュータウン、モスクワ川沿いには漁村とマリーナ、たくさんの馬がいる放牧場の近くには別荘風の

建物，そして言うまでもなく，閑静な大邸宅が並ぶ区画もある。〔セミコロンでリストアップされた各アイテムは，すべてThe new development boastsにかかっている〕

日英翻訳

P78（Ⅰ 名詞の可算・不可算を理解する）
1)
The incident was <u>an education</u> for the young boy.〔可算〕
（その事件は少年にとって一つの教訓になった）
<u>Education</u> is as important as artistic talent for dancers.〔不可算〕
（ダンサーにとって，教育は才能と同じくらい重要である）
2)
The man has <u>a history</u> of committing crimes.〔可算〕
（その男は前科がある）
<u>History</u> repeats itself.〔不可算〕
（歴史は繰り返す）
3)
Young people are brought up in <u>a culture</u> where they can't separate themselves from computers.〔可算〕
（若い人々は，コンピュータが不可欠な文化で育っている）
Language and <u>culture</u> cannot be separated in teaching foreign languages.〔不可算〕
（外国語教育において，言語と文化はともに教えるべきだ）

P85（Ⅱ 定冠詞・不定冠詞を使い分ける）
1) the　　2) a　　3) ×　　4) an
5) ×　　6) ×　　7) a　　8) ×
9) the, a　　10) the　　11) a, a　　12) the
13) a　　14) a

P90（Ⅲ 前置詞をマスターする）
1) at　　2) to　　3) on　　4) by
5) of, at　　6) for　　7) at

P95（Ⅳ 長い修飾語の処理）
1) Some parents are working while raising children. Their greatest concern is the abrupt sickness of their children.
2) All of our staff are true professionals with expertise in the field of real estate. We are happy to give you useful advice and the right answers to your questions.
3) We have released our first-quarter financial results on July 24. It is a pleasure for us to send our report in a timely manner to our valid shareholders.

P99（Ⅴ 切れ目のない文の処理）
1) There is some problem with the BS analogue broadcasting devices on the rooftop. We apologize to all viewers for the inconvenience.
2) In our kindergarten, we put emphasis on both hygiene in the kitchen and self-catered cooking style for children. Our professional nutritionists write the menu on their own, which is much appreciated by the parents.
3) This seminar provides all employees who are in charge of handling personal information security with a lecture conducted by an expert on information security. The lecturer will explain this topic in detail using both printed material and slides so that the participants will fully understand the content of the Personal

Security Act.

P102（Ⅵ 日本語に多い接続詞，副詞）
「さて」は，挨拶のあとの話題の切り替えとして使っている。
「これを受けて」は，前段落の内容を指している。
「また」は，話題の切り替えとして使っている。
「つきましては」「まずは」は特に意味はないが，文章のリズムを整えるために使っている。

P105
（Ⅶ トピック型日本語から主語型英語へ）
1) This year, the Information Assistance Office will start supporting distant learning classes that are conducted in liaison with overseas universities.
〔上記の文では，「遠隔講義」を主語にした受け身文も可能だが，主語が長くなり過ぎるため，むしろ「情報支援室」を主語にして能動的に訳したほうがよい〕
2) -a) This User's Manual explains how to handle the machine.
  -b) Please read this User's Manual before handling the machine.
3) -a) You can find a detailed explanation of the museum in the brochure available at the reception desk.
  -b) The brochure describing the details of the museum is available at the reception desk.
4) Smooth communication between different cultures requires not only good speakers but also listeners who are able to correctly interpret what is said by their partners.

P108（Ⅷ 英語らしい翻訳へ ── 無生物主語構文）
1) The following website offers you a lot of information on various job opportunities.
2) The Roppongi Hills complex brings all the glamorous people of Tokyo together!
3) The half-baked plan resulted in a disastrous end.
4) The magazine will keep you update with the latest news in and outside of Japan.
5) The enclosed brochure provides an overview of the current program and profiles of the participants this year.

P111（Ⅸ 日英翻訳で陥りやすい罠）
（以下，○は正しい使い方，×は不適切な使い方を示す）
1) study vs. learn
  ○ Let us <u>study</u> this matter thoroughly before we reach a conclusion.
  × Let us <u>learn</u> this matter thoroughly before we reach a conclusion
  ○ I <u>learned</u> a lot from my English teacher.
  × I studied a lot from my English teacher.
〔studyは「勉強する」という意味のほかに，「研究する，調べる」という意味がある。learnは，主に「人から学ぶ，見につける」という意味〕
2) expect vs. anticipate
  ○ We are <u>expecting</u> a raise (in salary) at work.
  ○ We are <u>anticipating</u> a raise (in salary) at work.
〔上記のように，「～を期待している／見込んでいる」という意味では同じように使える〕
  ○ She is <u>expecting</u> in May.
  × She is <u>anticipating</u> in May.
〔expectは，口語で「妊娠している」という意味でよく使われるが，anticipateは同じように使われることはない〕

○ You would be better off not trying to <u>anticipate</u> what will happen in the future.
× You would be better off not trying to <u>expect</u> what will happen in the future.
〔anticipateには、起こるであろうことに対して（気持ちも含めた）準備をする意味がある。expectにはそのような意味はないほか、通常、目的語として名詞やtoの不定詞をとる〕

P115（X 形式や文化的表現）
（略）

P119（XI 日本語と英語で違う記号とルール）
（略）

実践編
英日翻訳

P124（I 新聞記事——社会）
タイトル：マックジョブって何？

しかしマクドナルドが頑張っているのはイギリスだけの話ではない。世界で最も売れている辞書を発行するアメリカの出版社メリアム・ウエブスター（注1）にも、"McJobs"（低賃金で将来性のない仕事）という言葉を辞書から削らせようとして失敗している（注2）。「昇進の見込みがない低賃金の仕事」という定義は正しいというのが、メリアム・ウエブスター側の主張だった。オックスフォード英語辞典はそれにとどまらず、「マックジョブ」を「退屈」とまで形容している。
マクドナルド社だけでなく、ハンバーガー店員から身を興したアメリカの企業幹部や政府高官たちもこれに反論する（注3）。同社によれば、フランチャイズ店のオーナーのうち1000人以上が、ヒラの店員からスタートして

いる。同社の広報担当者によれば、マクドナルドは「チャンスを生み出す機械」だという。

アートか、ただのマックペインティングか？

マクドナルドは辞書学者との論争に加え、言葉の意味をめぐるさらに大きな戦いをしている。近隣にくらべて異様に大きな家が今、「マックマンション」と呼ばれている。「マックペインティング」は価値のあやふやな、塗り絵（注4）のような大量生産のアート作品のことだ。企業や業界が規格化され、統制管理が進み、低賃金の、多くは非組合員の労働者に依存するようになることを「マクドナルダイゼーション（マクドナルド化）」と呼ぶ人もいる（注5）。イリノイ州にあるマクドナルド本社では、これが経営陣の特大「マックヘッドエイク（頭痛）」（注6）となっている。

（注1）the American publisher ... dictionaryとMerriam-Websterが同格となった同格構文（P47参照）。試訳は逆送りだが、順送りも可能。
（注2）compendiumは英英辞典を見るとcollection, compilationの意。itはメリアム・ウエブスター社を指すので、同社の情報集積、すなわち辞書という意味になる。
（注3）McDonald'sのような組織はイギリス英語では単数、アメリカ英語では複数扱い。
（注4）ペイント・バイ・ナンバーは番号に従って絵の具を塗っていく描画キット。
（注5）A, B and Cの構文。
（注6）super-sizeはハンバーガーの特大サイズをもじった言葉遊び。

P126（II 新聞記事——社会）
タイトル：震災13年目の教訓

地震を予知することは不可能だが，観測や調査を強化することで，警報システムを改良し，大地震の振動がそれぞれの地域に到達するまでの秒数を表示できるようになるかもしれない。また今後起こる地震の振動パターンを予測し，ビルなどの建築物の設計を改良するための研究にも役立つ可能性がある(注1)。

大きな揺れを記録する強震計の観測網強化が特に大切である。地震のタイプ別(例えば人口密集地の直下型か，構造プレート同士の衝突によるものかなど)によって振動周期は異なる。建物の構造を，さまざまな振動周期に耐えるものにしなければならない。

阪神淡路大震災は神戸などの人口密集地の直下で起こり(注2)，振動周期は1～2秒だった。プレート型の地震の場合，振動周期はもう少し長いと考えられている。高層建築は長周期の揺れに対して共振を起こすことがあり，建物自身の揺れが大きくなる。強震計の観測網強化によって大地震発生時の被害を軽減できることを，政府は認識すべきである。

(注1) they は enhanced observation and research を指す。「観測や調査を強化することで」と繰り返すのは冗長なので，トピックがセンテンスをまたいで有効となる日本語の文章の特徴を生かし，主語の省略を用いた。

(注2) 送り込み方略(P56⑤参照)を使った関係詞節の順送り訳。

P129 (Ⅲ 新聞記事──政治)

タイトル：中東の新たな抗争と勢力地図(注1)

一例を挙げると中東の革命運動だ。植民地支配のもとでは(注2)，世俗ナショナリストとイスラム原理主義者が団結して欧米列強に対抗することもあったが，その後はエジプトでもシリアでもイランでも，覇権をめぐって互いに争った。

現在はイスラム革命が台頭し，世俗ナショナリストの大半は穏健派とみなされている。そしてかつては共産勢力と対抗するうえでアメリカの同盟相手と見られていた宗教勢力が，今ではアメリカの最も恐るべき敵となっている(注2)。

さらに，イスラム教にはシーア派とスンニ派の二大宗派があることも思い出すべきだ。両派の戦士は地中海沿岸では協力してイスラエルに対抗するが，イラクではお互いを攻撃している(注3)。

こうした複雑なねじれ現象はさまざまな状況を生んでいる。イラクにおける権力の空白や，その空白を埋める宗派間闘争は，イラン勢力の野放図な拡大を招いている。イランの影響力の増大は，多くの見るところ，今月イスラエル＝レバノン国境で突然起きた戦闘のひとつの要因だった。

イラクでの抗争やイスラエル＝レバノン間の戦闘を考えあわせると，中東全域をおおう見せかけの安定のほころびが見えてくる。

(注1) この記事はもともと，中東の勢力分布を描いた地図とともに掲載されたもの。当該の記事を入手し，地図を見ながら訳すとわかりやすい。

(注2) 植民者主義者という辞書の訳はぎごちないため，日本語の名詞化(漢字熟語)を使って品詞転換を行った。

(注3) it is ... who の強調構文。

(注4) ここまでの3段落が本文課題Point 1で述べた nations or groups の agree and quarrel(合従連衡)の具体例となっている。

P131 (Ⅳ アニュアルレポート──経済)

エマソン・インベスター

1999年度アニュアルレポート
タイトル：会長メッセージ

連結ベースの売上・収益・オペレーションキャッシュフローはいずれも二桁台の伸びを示し，総資本利益率も15.4％から16.4％へと改善しました。キャッシュフローでみる業績をよりよく示す営業権償却後の一株当たり利益（EPS）は年平均12％の伸びを示し，従来の指標より1ポイントの増大となっています。我々はこうしたパフォーマンスを継続すべく，懸命に努力しています。

昨年度，わが社は工業オートメーションおよび工業プロセスの市場で多くの難題に直面しました。さまざまな成長努力において目覚しい業績を上げたとはいえ，6年ぶりにEPSの二桁台の伸びをわずかの差で実現できませんでした。原油価格の低迷，石油化学工業分野における顧客の合併，アジア経済危機の余韻などがあいまって，この25年以上，私の記憶にないほどの厳しい市場環境となっています。こうした経済状況のもとでの社員のがんばりは大いなる賞賛に値します。

昨年度の当社の株価の状況は期待はずれのものでした。数年来，堅実な成長を続けてきたにもかかわらず，当社の株価収益率は市場のペースに追いついていません。こうした低迷はサイクル的なものであり，我々がこれまでも経験し，今後も経験するだろう種類のものでしょう。我々の成長努力により，エマソンの業績はこうしたサイクルのあらゆる局面において向上し続けるでしょう。私の考えでは，当社は成長，収益性，テクノロジー，組織におけるあらゆる面で，今後の成長を期待できるポジションにいると思います。

当社の技術投資の重点はエレクトロニクス，通信，ソフトウエアの3分野に移っています。これらのテクノロジーが製品の差別化や顧客価値の向上を可能にすることを考えると，このシフトは重要な意味をもっています。

グラフのキャプション：
売上（百万ドル）
1994～99年に複合年間成長率で11％増大。

オペレーションキャッシュフロー（百万ドル）
1994～99年に複合年間成長率で11％増大。

総資本利益率
業界トップクラスを維持。

P134（V 雑誌記事──社会）

タイトル：ワーキングマザーは二重に貢献する

ロンドンに拠点を置くゴールドマン・サックスのエコノミスト，ケビン・デイリー（注1）が執筆したこの報告書（注2）の分析によれば（注3），先進国では子育てと女性の社会進出の間で悩む必要はない。実際，出生率の高い国ほど男女の就業率の差が小さくなっている。デイリーはその原因を，文化的規範や国の政策によって，女性が家庭と仕事を両立することが可能だからと見ている。今回の報告書の調査対象（注4）となった先進国の中では，北欧諸国が働く母親の率が最も高く，ヨーロッパの地中海沿岸の国々が最も低い。

アメリカ女性の現状は北欧と似ているが，就業率がやや低く，出生率が高い。アメリカ女性の出生率（注5）は主要先進国中もっとも高く，子どもの数は平均で2.05人である。アメリカでの女性の就業率は男性より12％低い（一方，スウェーデン女性の就業率は男性とたった5％しか差がない）。

年金の将来が最も危ぶまれる国のひとつである日本の女性は，就業率も低く，出生率も低

い（注6）。日本の出生率は国連の推定で1.27である。また男女の就業率の差も23％ほどある。

アメリカにおける就業率の男女差はさほど大きくないものの、配偶者の就労に対する差別的課税をなくし、育児への補助金をふやすことで、もっと縮められるだろうとデイリーは言う（注7）。GSは女性が働くべきとも、子育てに専念すべきとも言っていないとデイリーは言う。「夫婦には自分たちに合ったやり方を選ぶ権利があると言いたいだけだ。〔先進国における〕調査を見ると（注8）、今より共働きを望むカップルが増えていることがわかる」

コーネル大学で労働経済を研究するフランシーン・ブラウによれば、GSの報告書は女性の就業を支援する政策が必要であることをあらためて指摘しているという。「アメリカの社会保障制度（注9）の将来を考えるうえで、こうした問題にもっと焦点があてられてこなかったことは驚きだ」と彼女は言う。

（注1）固有名詞のカタカナ表記はきちんと調べること。KevinやDalyのようなありふれた名前なら、通常の英和辞典に載っている。
（注2）the reportは本記事冒頭（P133）のa research reportの言い換え。GS等の金融系企業ではアナリストが執筆した現状分析の報告書（research reportまたはresearch note）を発行している。P151下から5行目のnoteも同様のレポートを指す。
（注3）P56の順送りで訳すコツ④を参照。
（注4）theを使った言い換え。the studyは前出の報告書を指す。最後の段落の1行目のthe Goldman Sachs paperも、同じ報告書を指した言い換え。
（注5）fertility rateは特殊出生率（出生数を分子、出産期の女性の数を分母として計算した出生率）、birth rateは粗出生率（分母を総人口とした出生率）。通常出生率と言えば前者。ここでも合計特殊出生率。
（注6）英文では女性の就業率をwork, have careers, women in the workplace, work more/lessなど、出生率をraise children, have babies, have families, procreate more/less, have more/less childrenなどと表現にバラエティをもたせている。日本語では反復への忌避はさほど強くなく、特にキーワードの場合は反復したほうが確実に内容を伝えられる。
（注7）伝達部が文中に挿入されている例。P49参照。
（注8）suggestのような伝達動詞を順送りで訳すには、「〜によれば」だけでなく、「〜を見ると〜とわかる」という訳し方もある。
（注9）Social Securityと大文字で始まっているので、アメリカの社会保障制度だとわかる。日本の読者向けにはその点を補足することが必要。

P137（Ⅵ 新聞記事──政治）

タイトル：
　ハワイの民主党員が党員集会に殺到

ダニエル・イノウエ上院議員（ハワイ州選出・民主党）は1948年から投票しているが、これまで見た中で最も投票者数が多いという（注1）。
「女性対アフリカ系の対決は初めてだ。これ以上の組み合わせはない」と、83歳のイノウエ議員は投票の列に並びながら語った。
民主党幹部は1万7000枚の投票用紙を用意し、足りなくなった場合は白紙を使うつもりにしていた。前回の党大会で投票したのはわずか4000人だった。

2週間前のスーパーチューズデイ〔訳注・20以上の州で大統領候補が選ばれる重要な選挙日〕以来，約5000人がハワイ州の民主党に登録をすませ，同州の党員数は2万5000人となった。

党大会には民主党員しか参加できないが，投票のため党大会に赴いた人も党員になれる。ホノルル近郊ハワイカイ（注2）にあるココヘッド小学校では，投票開始前から120人以上が列をつくった。

元ソフトウエア・エンジニアのジョン・メサリー（52）は，オバマのロゴ入りのブルーのキャップ姿で列に並んだ。

「オバマの話しぶりはいかにもハワイ人で，みんなそれをわかっている。彼はアロハ精神を全米に広めてくれた」とメサリーは言う。「特にこの10年は国が分裂していたから」

オバマは子ども時代の大半をホノルルで過ごしたあと，本土の大学に進学した（注3）。今も地元とのつながりは多く，子どものとき世話になった母方の祖母と妹（注4）が住んでいる。ホノルルで教師をする妹のマヤ・ソエトロ＝ングはオアフ島とマウイ島で活発な応援活動を行った。

クリントンはハワイ州最大の組合，4万3000人の組合員を擁するハワイ州政府労働組合や，ハワイ政界の長老であるイノウエ議員の支持をとりつけている。

上院議員八期目のイノウエは地元ハワイに戻り，週末にかけてクリントンの応援を行った。イノウエはボランティアに混じり，クリントン陣営のコールセンターで支持してくれそうな人に電話をかけ，党大会への参加を呼びかけもした。

クリントン支持派のジュラ・ファンドフィールドは定年退職した57歳。元ファーストレディのクリントンを応援するのは，アメリカ初の女性大統領が生まれるかもしれないからだ。

「私が党大会に来た理由はただひとつ，ヒラリーが候補だから。民主党に投票するのも初めて」と彼女は言った。

（注1）送り込み方略（P56）を使った順送りの訳。
（注2）the Honolulu suburb of Hawaii Kaiのofは同格。
（注3）untilは特に順送りに適した接続詞。
（注4）sisterやbrotherは姉なのか妹なのか，兄なのか弟なのか，可能な限り調べる。

P140（Ⅶ 雑誌記事──政治）
タイトル：物議をかもす指紋採取

日本政府はこれに対し，こうした措置はひたすらテロリストの入国を防ぐためのものと弁明する。その一例として，蝶の愛好家である鳩山邦夫法相は，愛好家仲間である友人のそのまた友人がアルカイダの活動家で，長年にわたって偽造パスポートで出入国を繰り返していたと説明した。新しい措置でこうしたこともなくなるというわけだ。鳩山法相はすぐに発言の撤回を迫られた。大臣がテロリストといっしょに蝶を追いかけていると見られないためだ。それでもひとつの事実は消せない。日本には以前から国産のテロリストがいるということだ。最近では1995年，カルト集団による東京・地下鉄のサリン事件で12人が死亡している。

新しい入国審査手続は，アメリカで同じように議論を呼んだUS-VISITプログラムをまねたものだ。原則的には，これはそれほどの議論を呼ぶものではない。あらゆる国が「生体認証」情報の収集に向けて動き出している。イギリスも来年から，ビザで入国する者に対してこのような情報の収集を開始する。問題は実施の方法だ。アメリカのUS-VISITプログラ

ムは不具合や予算超過の問題が続出している。ヨーロッパでのデジタルパスポートの導入も技術的な問題で遅れている（注1）。日本のコンピュータ技術は進んでいるが，政府はそうした技術をまったく使いこなせていない。今年も年金に関する電子データ5000万件が持ち主不明になったと公表している。

新しい入国手続きを免除されるのは外交官，16歳未満の子ども，そして一部の永住者（数世代にわたって日本に在住する韓国・朝鮮系，台湾系の人々）である。それにしても，なぜ「ガイジン」だけなのか。日本には町内会や自治会など，国民を監視する手段がいろいろある。外国人はこうした社会統制からはずれているからだ（注2）。しかし外国人の指紋採取は，出入国する者全員の生体認証情報を収集するための第一歩でしかない。実際には日本人・外国人居住者を問わず，頻繁に旅行する人はあらかじめ登録を行い，写真と指紋を認識する無人の自動ゲートを利用できるようにしておくと時間を節約できる。

鳩山法相によれば，新しい手続は従来の入国審査にかかる20分を超えることはないという。今週，一部の自動ゲートの運用が始まった（注3）ものの，大半の旅行者は列に並ばされた。当局によれば，過去に1回以上強制送還となった人物数名を発見したという。ただしその中に蝶の愛好家がいたかどうかは不明だ。

（注1）無生物主語なので品詞転換をするのに加え，米・欧・日の例が並べられているので，わかりやすさを優先するならヨーロッパという語を最初に出すほうがよい。
（注2）「それにしても」や「からだ」は論旨の展開をわかりやすくするための補足。英語の書き言葉の場合，接続詞などの談話標識をなるべく使わないのが高級な文章

と見られる傾向がある。
（注3）play upは通常の辞書では「困らせる」「支障を来す」の意味だが，オンライン辞書（Wordnet）ではmove into the foreground to make more visible or prominentとなっており，必ずしもネガティブな意味ではない。

P144（Ⅷ ウェブサイト──科学）
タイトル：ゲノミクスと未来

ヒトゲノム計画では生物学史上，かつてない量の情報が生み出されている。ヒトゲノムを構成するＤＮＡ単位（「塩基」と呼ばれる）の単純なリストだけで，電話帳200冊分にあたる。これには，それぞれの単位を記述する注釈（アノテーション）は含まれない。ヒトの全DNA配列の90％にあたるドラフトは2000年春までに作成される予定で，全配列が入手できるのは2003年と見られている。しかしそれでは骨組みだけで，意味のあるものにするには重層的な注釈が必要だ。こうした注釈作業が実際に役立つのは，遺伝子がコードするタンパク質が突き止められたときだ。

タンパク質は人体の主要構成要素となるだけでなく，体内の生化学反応を引き起こす酵素も含んでいる。タンパク質はアミノ酸と呼ばれる単位で構成され，それらのアミノ酸がつながって長大な鎖をつくっている。この鎖は折りたたまれて三次元構造となり，これがタンパク質の機能を決定する。アミノ酸の配列は，そのタンパク質をコードする遺伝子のDNA塩基配列によって決まる。遺伝子はRNAと呼ばれるものを媒介として，タンパク質の合成をつかさどっている。媒介となるRNAを活発に生み出す遺伝子は「発現」遺伝子と呼ばれる。ヒトゲノム計画は人体内で合成されるあらゆるタンパク質を解明するだけでなく，タンパ

ク質をコードする遺伝子がどのように発現するのか，これらの遺伝子のDNA配列が他の種の遺伝子とどう違うのか，ヒトのなかでも個人によって遺伝子がどう異なるのか，そしてDNA配列がどのような具体的特徴に翻訳されていくのかを解明することも目指している。全DNA配列の解読に加えて，さまざまなレベルでの情報を付加することで，DNA内に蓄積された情報が明らかになるだろう。それがわかれば，少なくとも21世紀中の生物学の進歩は保証される。多くが解明されればされるほど，推測し，仮説を立て，理解が得られるという好循環が起こるだろう。

P147（Ⅸ 新聞記事——文化）
タイトル：ディズニーランドで火星探検

ビデオでは怖ろしげな禁止事項も並べられる。シニーズは歓迎のあいさつのあと，乗り物酔いする人は「ミッション」に参加すべきでないと忠告する。閉所恐怖症の人も「ミッション」に参加すべきできない。妊娠中の女性も参加すべきできない（ついでに最近，生牡蠣を食べたばかりの人も降りるよう注意すればよかったかもしれない）。
残ったゲストたちがすっかり真剣になったところで，ミッション・スペースを運行するクルーがゲストを4人ひと組に分け，それぞれに操縦士，機関士，司令官，航空士の役を割り振る。最後にもう一度，シニーズが出演するビデオを見せられ，チームごとに「宇宙船」に乗り込む。
ミッション・スペースの宇宙船は驚くほど本物そっくりのコックピットからできている。コックピットには横長のコンソールの下に潜り込むように，座席が4つ並んでいる，コンソールにはボタン，操縦桿が並び，窓がついていて，ローラーコースターのハーネスと同じように，乗客を座席に固定する仕組みになっている。
ミッション・スペースに乗り込む前から雰囲気は怖ろしげだが，座席に固定されると緊張は一挙に高まる。コンソールが前方にせり出して乗客の体ががっちり固定されると，目を瞑ったり横を向いたりしてはいけないとの警告が流れる。
その理由は簡単。ディズニーが目指すのは，乗客を高速回転させることだからだ。ミッション・スペースの宇宙船は回転装置に取りつけられている。ディズニーとヒューレット・パッカードは，他のバーチャル・リアリティ系のアトラクションで従来使われてきた「バンピング・カート」方式は避け，宇宙飛行士が実際に体験する縦横の揺れや重力加速度（G）を正確に再現する，高価なテクノロジーを採用した。
まずは目の前のモニターに大気が希薄になっていく様子が映し出され，ほっぺたが後ろに引っ張られる。周囲ががたがたと揺れ出す。しかし自分が回転していることは，少なくとも意識的には認識できない。揺れやモニターの映像が，あたかも前方に進んでいるような錯覚を生み出す。横を見たり目を瞑ったりすると，こうした錯覚は消えてしまう。
モニターには大気圏離脱のようすが映し出され，隕石をよけながら，最後は火星に着陸する。その間，ゲストはいくつかの任務を与えられる。これは飛行中の特定の時間に，コンソール上のモニターの横にある2つのボタンを押すというものだ。ボタンを押しても何も起きないし，たとえボタンを押さなくても，ミッション・スペースがゲストにおかまいなく，ボタンを自動的に点灯してくれる。とはいえ，このちょっとした作業で，宇宙旅行に実際に参加している実感が得られる。
個人差もあるかもしれないが，話を聞いたゲ

ストの大部分は似たような経験を語った。火星に着いたとき、「どうしよう。これから地球に帰れと言われても、もう無理」と思ったというのだ。

心の準備をして乗り込み、宇宙旅行の感覚に溶け込もうと努力しても、いつのまにか吐き気に襲われる。実際に、乗客は高速で回転運動をしているからだ。

とはいえ救いもある。アトラクションが片道だということだ。火星に着陸するとシニーズが再び現れ、ミッションの成功を祝福する。これはボタンを押さなかったゲストも同様だ。火星への片道切符と知ってほっとするなど、ふつうはありえないのだが。

こうしてゲストは宇宙船をあとにする。血の気のうせた人、青くなった人、再挑戦にやる気満々の人もいる。結局のところ、ミッション・スペースは楽しい乗り物というより驚きの連続だ。現在ある遊園地の乗り物の中で最も技術的に進んだものであることは間違いない。バーチャル・リアリティを駆使した最先端のビジュアルと、回転装置の巧みな動きを組み合わせている。

ミッション・スペースにはジェットコースターのようなスリルはないが、最初からそれが目的なのではない。教育効果や疑似体験を目指した乗り物なのだ。とはいえ、ミッション・スペースはエプコット・センターで興奮を与えてくれる数少ないアトラクションのひとつだ（もうひとつはテスト・トラック）。

P151（X 新聞記事──経済）

タイトル：
　新日鐵とJFEが上半期利益を上方修正

「鉄鋼メーカーはコスト高の転嫁により、高い利幅を維持している」と言うのは、いちよし投資顧問（東京）で1億9000万ドル相当の資産を運用する秋野充成だ。「内需が堅調であれば、さらに増益の余地がある」

造船メーカー

東京市場における新日本製鐵の株価は5円（1.5％）安の333円、JFEホールディングスの株価は60円（1.9％）安の3180円で引けた。9月5日までの1ヵ月でJFE株は16％、新日鐵株は24％値上がりした。

「鉄鋼株が下げたのは、市場が収益予想の上方修正を織り込み済みだったからだ」と、東京の三菱証券（注1）のトレーダー、ウインストン・バーンズとニック・デモポロスは報告書で述べている。「投資家には最近の値上がり益の確定を勧めている」

新日本製鐵は年間収益予想を従来の2650億円から3100億円に上方修正、JFEは従来の2900億円の予想を維持した。

新日本製鐵は上半期の売上予想を従来の1兆8800億円から1兆8400億円に下方修正した。これは低級品やステンレスの生産量を削減したことによるものと、同社の藤原信義副社長は8日（注2）、述べた。

「プロダクト・ミックス」

JFEは14.5兆円の売上予想を維持した。グループ内の生産量は昨年の3128万トンから、今年は100万トンほどの減産となる見込みだ。

「生産を削減して、得意分野に注力したプロダクト・ミックスに移行すべき」と同社の山崎敏邦代表取締役副社長は言う。「価格を下げれば、さらなる値下がりを待って買い控えが起こる。価格維持が優先課題だ」

新日本製鐵とJFEは今年度から（注3）トヨタを含む自動車メーカーに対する契約価格をトン当たり1万円引き上げた。また造船メー

ーに対する価格は，今年に入ってからの1万円の値上げに加え，10月から半年間の価格をトン当たりさらに5000円値上げしたと，日刊鉄鋼新聞が今週報じた。

こうした高級鉄鋼の売上で，新日鐵とJFEは世界的な鉄鋼価格値下がりの影響を受けずにすんでいる。

中国は今年の上半期に合金鉄の生産高を28％増強し，鉄輸出が増えている。このためヨーロッパにおける熱延鋼帯の価格が今年に入って3分の1ほど下落した。

JFEは8日，上半期の製品平均価格がトン当たり7万5000円と，前年同期の5万7700円から上昇したと述べた。新日鐵の価格も5万8100円から7万2000円に上昇した。

JFEホールディングス傘下のJFEスチールは同グループの稼ぎ頭で，グループ売上高の86％，営業利益の98％を占める。前出の數土はJFEスチールの社長を2年間務めたあと，この4月にJFEホールディングス社長に就任した。

住友金属と神戸製鋼所

「鉄鋼の値上がりで，各社とも絶好調だ」ソシエテ・ジェネラル・アセット・マネジメントの古井田義則は，8日の収益予想発表に先んじてそう指摘した。

住友金属は石油生産に使われる高級鋼管の世界一の生産者で，8日に収益予想を修正した高炉メーカー4社の中でも最も大幅な引き上げとなっている（注4）。これは石油メーカーからの鋼管需要の高まりによるものだ（注5）。大阪に本社を置く同社では，今年上半期の純益予測を，5月時点の450億円から，60％増の720億円に上方修正した。また売上予測も6900億円から7100億円に引き上げた。

神戸製鋼所は日本第4位の鉄鋼メーカーで，上半期の収益予想を現状維持の280億円とし

た。これは不動産の評価損と，兵庫県加古川製鉄所の高炉火災による特別損失を計上したためである。

住友金属株は5円 (1.8%) 安の272円，神戸製鋼株は8円 (2.9%) 安の265円で引けた。

上半期に5円の中間配当を支払う予定という住友金属を除き，他の鉄鋼メーカー3社は年間配当のみの予定である。JFEは昨年の45円にかわり，今年は80円前後の年間配当を出す可能性がある。

（注1）この記事のあと，三菱UFJ証券と改名している。
（注2）具体的な日付に（Point 2参照）。
（注3）年度が4月から始まることは日本人読者には常識なので，特記しなくても可。
（注4）同格構文を送り込み方略を使って順送り訳にした例（P56）。
（注5）itsのitは住友金属を指していることに注意。

P155（XI 電子ジャーナル──科学）

タイトル：ナノテクはどうなる？

ナノテクノロジーは単一のプロセスではなく，特定の素材を扱うものでもない。むしろナノテクノロジーという用語は，物質をナノスケールで操作することよって装置やシステムを生産するプロセスのあらゆる側面を含む。

長さ3センチ（注1）の糸を25等分し，そのうちの1つを100万個に切り分ける。そのひとつひとつの長さが1ナノメートルである。物質やプロセスをナノスケールで操作することは，大学や企業の実験室ではすでに可能になっている。米国学術研究会議の定義では，ナノスケールという場合，1つ以上の関連次元が1ナノメートルから100ナノメートルの間でなければならない。超薄型コーティングは1次元

ナノスケール，ナノチューブとナノワイヤは2次元,ナノ粒子は3次元ナノスケールである。ナノテクノロジーは3つに分類されている。自動車塗装と化粧品におけるナノ粒子の産業利用は，「漸進的ナノテクノロジー」の代表である。量子ドット（直径2〜10ナノメートル）と呼ばれる円盤の蛍光特性や，炭素ナノチューブ（直径1〜100ナノメートル）の電子特性を使ったナノスケール・センサは「進化的ナノテクノロジー」の例だが，開発はまだ初期段階である。SFスリラーの世界に属す「急進的ナノテクノロジー」は，技術的にはまったくめどが立っていない。

ナノスケールでの物質特性は，バルク体とは異なる。これはナノスケールでは単位体積あたりの表面積が非常に大きいからである。ナノスケールでは量子効果も働く。ナノスケールの特性や効果は集積電子工学，光電子工学，医学における現行方式を変えることになるだろう。しかし実験室から大量生産への移行には難問が山積し，ナノスケールで物質を確実かつ思い通りに操作することは，コスト的にきわめてむずかしい。またナノテクノロジーのもたらす健康被害についても，データがほとんど存在しない。

ナノテクノロジーは人間文明の転換期に登場した。ナノテクノロジー，バイオテクノロジー，情報工学の驚くべき融合が起ころうとしている。この融合がもたらすきわめて望ましい展開の一例としては，予防・治療の双方における新療法，建築物・ダム・船舶・航空機など，天災やテロ攻撃にさらされる可能性のある構造物への監視システム，廃棄物をほとんど出さない省エネ型の生産設備などがある。

3つの技術の融合は今後も期待できる。キネシンなどのタンパク分子が積み荷分子を輸送する手段として開発されている。これらの分子はシリコン・ウエハ上をミリ単位で移動するもので，最終的には高性能のナノセンサ・システムや分子製造システムでの利用をめざす。細胞，細菌，ウイルスを使った複雑なテンプレートの作成も行われている。こうしたテンプレートは製薬工場で，医学的に有害な分子をつくり出すことなく，有用な分子を凝集させるためのものである。ナノテクノロジーでは，体液の検査機能をもつコンピュータ・チップの開発も行われている。これは体液のデータを光学的に取得し，電子データとして保存・処理を行うものだ。ナノテクノロジーによる薬物送達システム（DDS）は，人体に使用して特定の生体機能を調節する。例えば特定の病原体に対する免疫を生じさせたり，高めたりする。

ナノ，バイオ，情報工学の融合で，規制と監視の強化も迫られている。ナノテク研究は大半が政府の補助を受けているので，市民団体やNGO，さらには民間部門の諮問機関により大きな権限を与え，研究の監視にあたらせるべきだ。同時に法律を整備し，政府によるナノテク開発プログラムの責任者や民間の委託業者に対して行動指針を示すべきだ。

現在のナノテクノロジーは5歳のモーツァルトのようなものだ。将来性にあふれていて，今後数年，愛情を込めて育てれば，その最良の部分が明らかになるだろう。

（注1）inch, foot (feet), yard, mile, gallon, pint, ounce, poundなどの単位は必要に応じてメートル法に換算。よく使うものは暗記しておくとよい。摂氏／華氏の換算も同様。

P159（XII 電子ジャーナル──文化）

タイトル：
　チャンネ・リー──アイデンティティの原型

リーの1995年のデビュー作『ネイティブ・スピーカー』は，当時20代の新鋭作家の小説第一作に権威あるヘミングウェイ財団ペン文学賞をもたらした。この作品は韓国系移民の息子である主人公が，産業スパイとして働き，破綻した結婚生活と息子の死に苦しむうちに，政治的陰謀に巻き込まれるという内容だ。別居中の妻は彼を政治的にも感情的にも外国人とみなし，彼自身もまさに2つの世界を生きながら，そのどちらにも属していない。

自身もアジア系アメリカ人の作家ギッシュ・ジェンは，『ネイティブ・スピーカー』を評して「美しい文体，啓発的で痛切……みごとなデビュー作であり，アジア系アメリカ人文学に多大な貢献をした」と述べている。ニューヨーク・タイムズ紙の書評は「素晴らしい」(注1)と絶賛した。こうして世間の注目が集まり，次々と賞を獲得していくことになる。

多くのインタビューで言葉というものの圧倒的な力について語っているこの作家にとって，『ネイティブ・スピーカー』は苦心の作だった。「ひとつひとつの言葉の選択が，生きるか死ぬかの問題だった」と，リーは1999年9月のニューズデイ紙のインタビューで語っている。小学校に入るまで韓国語しかしゃべったことがなかったからだ。「2年の間にひとつの言語から離れ，それを失い，別の言語を身につけた」。彼の文体は完璧で叙情性にあふれているが，英語を正確に使えていないという恐怖感が今もある。

だがリーはそれに打ち勝った。最新作『ジェスチャー・ライフ』は1999年秋に刊行され，今回もまたよそ者を主人公に据えた。2つの時代を舞台にしたこの作品では，アメリカに移住した韓国出身の日本人，フランクリン・ハタの物語が語られる。彼は苦労して薬剤師となり，戦後のアメリカで中流階級として生きているが，家庭内には葛藤がある。しかし彼の人生には別の面がある。第2次大戦に軍医として従軍し，残虐行為に荷担したことだ。2つの経験が一体となるとき，移民である彼の2つの世界も一体となる。

「完璧なまでの軽さの感覚というのは，どこか典型的なものだ」とハタは自分の置かれた状態を分析する。「ある場所にいながら，そこにいない感覚，それは確かに私の人生の慢性的症状(注2)なのだが，それは日々の膏薬でもあり苦痛をおさえるけれど，完治はしない薬を探すようなものである。だから問題は自然に広がって，体のすみずみまでそれが自分の一部になっていく。これが私のアイデンティティの原型であり，それをとおして周囲のものを手当たり次第に型にはめていくのだ」

この作品では，批評家の賞讃はさらに大きかった。ニューヨーク・タイムズ紙の書評担当者，ミチコ・カクタニはこの小説を「賢明で人間的」と評し，ロサンゼルス・タイムズ紙の書評担当者，レスリー・ブロンディはリーを「独創的」と評した。

現在，ニューヨーク市立大学ハンター校で大学院芸術コースの責任者をつとめるリーは，朝鮮戦争時の在韓米兵たちを描いた第3作を執筆中だ。リーにとってそれは，恐らく自らの意思ではなくある場所に移され，一定期間，そこでの生き方を選択せざるを得なかった人々について，あらためて考える機会となったという。彼にとってこの作品は「市民であり亡命者であるというあの感覚，永遠に外国人であるという感覚——そしてそれに伴うさまざまな問題と喜び(注3)を象徴している」と，ニューヨーク・タイムズ紙のインタビューで彼は語っている。

(注1) rapturousは通常は「熱狂的な」という意味だが，口語では賞讃の言葉。
(注2)「慢性的症状」「薬」「完治」などは，主

人公ハタが医師であることに引っ掛けた言葉遊びであることに注意（P61参照）。
(注3) 3つのアイテムがandでつながれていて，句読法的にルール違反に見える。恐らくproblems and complicationsはセットフレーズ（いわゆる冗語。P61参照）で，訳では「問題」と一言でまとめた。

P163（XIII 新聞記事——科学）
タイトル：元祖ミラクルドラッグの新たな奇跡

欧米諸国と比べると，日本はアスピリンの効果に対してはずっとさめている。だがそれも，まもなく変わるかもしれない。
アスピリンを抗血栓薬として使用することを正式に認可した昨秋の政府決定を受けて，製薬大手バイエル社の日本法人であるバイエル薬品が今月，低用量アスピリンを発売することになった（「アスピリン」という名称はもともとバイエルの商標名だった）。
従来，日本で最も人気のあるアスピリン剤は，洗剤メーカーのライオンが販売するバファリンだった。
鎮痛効果の高いアスピリン（注1）は，組織の損傷時に痛みや炎症を引き起こす，プロスタグランジンと呼ばれるホルモンに似た一連の化学物質の産出を抑えることで鎮痛効果をもたらす。
プロスタグランジンは体内のさまざまな化学作用に関与するほか，血栓をつくって出血をとめる血小板の活動も調節している。血栓が血管をふさぐようなことがあると，こうした作用は有害に働く。
そこで低用量アスピリンは血小板の働きを抑え，狭窄した血管に血栓が生じるのを防ぎ，心臓発作や脳卒中の危険を軽減する。
血栓に対するこうした効果は，イブプロフェンやアセトアミノフェンなどの他の家庭用鎮痛剤では確認されていない。
アスピリンの血栓抑制効果は，多数の研究で裏付けられている。14万人を対象とする300件の臨床試験を分析した1994年の画期的研究では，アスピリンが過去に心臓病や脳卒中の既往歴があるハイリスク患者において，発作の可能性を25％低くすることが確認された。こうした研究結果に基づき，欧米では政府が血栓予防薬としてのアスピリンの処方ガイドラインを公表している。
日本の医師たちも，同じ目的でアスピリンを使用している。ライオンによれば，81mgのバファリン錠の売上は90年代には年間20％ずつ増えた。昨年8月（注2）に東海大学の篠原幸人が行った調査では，国内の内科医の90％がアスピリンを血栓予防薬として使用していた。それでも日本政府は血栓予防薬としての使用を正式に認めてこなかったが，昨年11月，心臓病や脳卒中などの血管障害の既往歴のある患者に対して，アスピリンを抗血栓薬として使用することを承認した。
心臓病や脳卒中の既往歴のある患者約140万が，毎日アスピリンを服用していると見られ，その数はまもなく二倍になるだろうと専門家は言う。
50億円のこの市場をめぐる熾烈な競争はすでに始まっている。
「処方アスピリン市場の95％を占めるわが社は，医療従事者に正しい情報を提供する努力を強めていく決意」というのは，ライオンの薬品事業副本部長の岩崎春雄だ。政府決定を受け，ライオンでは商標名を小児用バファリンからバファリン81mgに変更した。
バイエルもアスピリン（注3）を100mg含むバイアスピリンという新製品をひっさげ，日本の処方薬市場に参入しようとしている。バイエルのアスピリンは腸内で溶けて胃への副作用を防ぐよう工夫されており，世界41カ国で

販売される同製品の効果は，大量の臨床データによって実証されているという。
「世界各地で行われた決定的な大規模治験は，大部分が当社製品によって行われている」とバイエル薬品の広報担当者，藤田仙丈はいう。「わが社の製品が〔血栓予防に〕最高のアスピリン錠と信じている」
同社によれば，胃のむかつきなどの副作用があったのは服用者の2.7％と，バファリンの13.6％を大きく下回る。
しかし日本の低用量アスピリン市場をほぼ独占するライオン側は，自社製品のほうが即効性があり，副作用の危険もバイエル製品に比べて決して高くないと主張する。
「日本ではバファリンを誰でも知っているし，何千人もの医師たちがバファリンを使ってきた。そこがわが社の強みだ」とライオンの広報担当者，小池洋子は言う。
アメリカをはじめ，日本以外の国では健康な人が心臓病を予防するため低用量アスピリンを服用している。これはアスピリンが心臓病や脳卒中を予防するとの新聞雑誌の報道に影響されてのことだ。
そのほか，偏頭痛，結腸癌，妊娠合併症，さらにはアルツハイマー病や老人性認知症など，他の病気にも予防効果があることを示唆する研究もある。
今では大半の医師が，こうしたメディア報道は過剰報道であるとの見方で一致している。アスピリンは心臓血管病全体の死亡率に影響しておらず，むしろアスピリン服用者のほうがわずかながら脳や胃での出血リスクが高くなっているからである。
医師の中には，40歳以上の人にアスピリンを毎日服用することを勧める人もいる（注4）。しかしアスピリンの誤った服用は避けなければならない。どのような形であれ，アスピリンの服用が絶対に安全で有効だとは，まだ誰も証明していないからだと，篠原は言う。
「アスピリンに不思議な効果がいろいろあるのは確かだが，万能薬ではない」と篠原は言い，アスピリンを定期的に服用するときは，必ず医師に相談すべきと強調する。

（注1）theを使った言い換え。
（注2）今年なのか昨年なのか文章だけからはわからない。記事の日付を確認すること。
（注3）theを使った言い換え。
（注4）someを品詞転換して訳す。P34参照

P167（XIV 国際機関の文書――行政）
タイトル：OECDによるコーポレート・ガバナンスの主な原則

IV. コーポレート・ガバナンスにおけるステークホルダー（利害関係者）の役割
コーポレート・ガバナンスの枠組みは，法律または相互の合意によって確立されたステークホルダーの権利を認識し，企業とステークホルダー間の積極的協力を促して富，雇用，財務的に健全な企業の持続性を生み出すよう，企業とステークホルダー間の活発な協力を働きかけるべきである。

V. 情報開示と透明性
コーポレート・ガバナンスの枠組みは，時宜を得た正確な情報開示が，企業にかかわるあらゆる重要事項に対して行われることを保証すべきである。これには企業の財務状況，業績，株主構成，ガバナンスに関する情報（注1）などが含まれる。

VI. 取締役会の責任
コーポレート・ガバナンスの枠組みは，企業の戦略的指導，取締役会による経営陣の効果的監視，そして取締役会の企業および株主に

対する説明責任を保証するものでなければならない。

（注1）4つの項目を並べたリストの例で，of the companyがリストのどの部分にかかるかに注意する。基礎編X章の練習問題3.の2～4の解説を参照。

P170（XV 専門誌——科学）
タイトル：Journal Club

ハーバード大学（マサチューセッツ州）とペンシルベニア州立大学の地球科学者や技術者たちはこのほど，動力学的により好ましい方法を提案した。この方法では，海水を電気分解することで水酸化ナトリウムと塩酸をつくりだす。これは，よく知られている産業用塩素アルカリ生成プロセスを応用したものである（K. Z. House et al. Environ. Sci. Technol. 41, 8464–8470; doi:10.1021/es0701816 2007)（注1）。
水酸化ナトリウムは，空中から直接CO_2を取り込ませると，そこで生成される重炭酸ナトリウムは中性なので海中に放出することができるし，あるいは海中に直接放出しても，海水のアルカリ度を高めてCO_2吸収力を高めることができる。また塩酸は炭酸塩岩やケイ酸塩岩にすぐに反応するため，容易に中和することができる。
House et al.が解説した手法は，塩基性岩の産出地の近くで，太陽光ないし地熱発電を使って実施するならば，有望である。例えば海の真ん中にある火山性の島などがよいだろう。この手法による投棄物の影響は，人類がすでに引き起こしている海水の酸性化より深刻ではないだろう。

1. Tyndall Centre for Climate Change Research, NOC, Southampton, UK（注2）

（注1）学術論文の場合，出典や文献名は原書を引用したい人の便宜を考えて原文のまま残す。

（注2）この記事の筆者の所属を示す脚注。脚注は，そのなかに文章がある場合などは，適宜方針を決めて訳すか訳さないかを決める。Tyndall Center for Climate Change Researchは「英国ティンダル気候変動研究センター」などの訳も可能だが，このセンターのウエブサイトなどをチェックしたい人のためには，原文を残しておいたほうがよい。

P173（XVI 書籍——文化）
タイトル：レオナルド・ダ・ヴィンチ
ウォルター・ペイター『ルネサンス：芸術と詩の研究』（1837年）より

幼い頃から，レオナルドは多くの発明品を考案し，浮き彫り彫刻で模型をつくった。ヴァザーリはそうした浮き彫りのなかに，微笑する女性を描いたものがあったことを記録している。レオナルドの父は息子の才能を考え，当時フィレンツェで最も有名な芸術家だったアンドレア・デル・ヴェロッキオの工房に連れて行った。工房には美しいものがあふれていた。聖遺物箱，聖体容器，ローマ教皇の礼拝堂のための銀製装飾，風変わりな中世の工芸品などが，当時発見されたばかりの古代遺物の断片とともに並んでいた。そこでレオナルドが出会ったであろう別の見習生——それはイタリアの夕日のおだやかな残照と優雅な幻影とを心に抱いた少年，後に名を成すペルジーノだった。ヴェロッキオはフィレンツェ芸術の初期のタイプの芸術家であり，彫刻家，画家，金細工師を兼ねるとともに，デザイナーとして絵画のみならず，教会や家庭で使うあらゆるもの，例えば酒器，アンプリ（聖具

入れ），楽器などを見目麗しく造形し，日常生活を天上の光で満たしていた。そして忍耐の歳月は彼の手を磨き上げ，今やその作品は遠隔の地からも注文が寄せられるほどになっていた。

あるとき，ヴェロッキオはヴァロンブローサ会の修道士たちの依頼で『キリストの洗礼』を描くことになり，レオナルドは左端にいる天使の仕上げを任されることになった。それは偉大なるものの進歩——ここではイタリア芸術の進歩——が個人の幸福を押しつぶしてしまう瞬間のひとつだった。その人の失望と没落によって，人類はより幸運な人々をとおして最終的な成功に一歩近づくのである。

なぜなら単なる高収入の職人として，サンタ・マリア・ノヴェッラ教会の聖職者のマントにつけるブローチを細工したり，メディチ家の墓廟のための金属製の仕切板を曲げたりという気楽な外見の裏に，知識や物事への洞察力を深めることによって，イタリア芸術の可能性を広げようという野望が隠れていたからである。そうした芸術的な目的意識は，レオナルドが無意識に抱いていた目的とも合致するものだった。そして事実，衣服のひだや差し上げた腕，そして顔面から後方へと流れる頭髪を描きながら，後世に見られるような自由な手法や深い人間性に似たものが，何度もヴェロッキオをとらえたのだった。しかしこの『キリストの洗礼』において，弟子は師を追い越し，ヴェロッキオは不意をつかれた人のように，愛着のあった自分の過去の作品までが今や不快なものに変わってしまったかのように，レオナルドの手になる輝くばかりの生気あふれる天使から目を背けるのだった。

この天使は今もフィレンツェで見られる。苦心の末に描かれた冷たく古いその絵のなかで，その一画だけ陽光が降り注いでいるようだ。しかしこの伝説は感傷的なものでしかない。なぜなら絵画は，ヴェロッキオにとって最も関心の薄い芸術だったからだ。そしてある意味，ヴェロッキオはレオナルドを先取りしていたし，レオナルドの作品もまた，晩年にいたるまでヴェロッキオの工房を想起させる。鏡代わりにする水差しや，『謙遜と虚栄』の女神のからみあう手のまわりに描かれた愛らしい刺繍などの美しいおもちゃ，そして『天秤をもつ聖母』の中で聖ミカエルが帯につけているカメオなどの浮き彫り，そして『聖アンナ』に描かれた瑪瑙玉のような極彩色の石，清められた聖域の古代文字のような緻密な優雅さなどを愛するのである。ロンバルディア画派らしい巧妙さと複雑さの中でも，こうしたものは決して彼の脳裏を離れなかった。そうしたものの多くが，今は失われた『楽園』という作品に描き込まれていたはずだ。彼はこの作品をタペストリーのための原寸下絵として制作し，フランドルで織り上げられることになっていた。それは昔ながらのフィレンツェ風の細密画を完成の域に引き上げたもので，樹木の葉，草原の花のひとつひとつが丹念に描き込まれ，そこに最初の男アダムと最初の女エバが立っていたのである。

日英翻訳

P183（Ⅰ ビジネスEメール）

1.

Subject: RE: Payment for Conference Proceedings

Dear Mr. Tyler,

Thank you for your inquiry. You can

pay for the Conference Proceedings by credit card. We need your credit card information.

Please fax or mail it to us.
Our fax number is +81-3-3443-3100.（注1）

We look forward to hearing from you.

Regards,

Keio Suzuki
Secretariat, ICO

（注1）海外から日本へ発信するときは+81が必要。その際、03の0は取れる。

2.

Subject: Transportation from SFO（注1）

Dear Robert,

Thank you for your quick reply.
It's been five years since we visited San Francisco, so it is very exciting for us to be able to visit your office and meet with you again.

We are arriving very early in the morning. We found that there is no limousine service available from the airport to the Club Quarters that you booked for us.

Could you suggest any other good means of transportation besides taking a taxi?

Regards,

Akio

（注1）SFOとは，San Francisco International Airportの略した言い方。

P191（II 招待状）

1.

Dear Senior Executive（注1）:

It is our pleasure to invite you to our seminar, "How to Survive the Era of Mergers and Acquisitions by Increasing Corporate Values."（注2）

The seminar will update you with various strategies and measures for mergers and acquisitions that will suit the Japanese business culture and the Japanese way of thinking.

We look forward to seeing you at the seminar!

Date: March 4, 2008
Time: 1:00 p.m.-4:00 p.m.
Place: Roppongi Hills, 23F
Toho Consulting Head Office, Meeting Room

Sincerely,

Shinya Tanaka

Marketing Division
Toho Consulting

（注1）セミナーが企業の役員クラスを対象にしているので，このような具体的な呼びかけをしているが，特に決まっているわけではない。

（注2）広告的効果を出すために，原文にはなくても How to survive … などの表現を使うこともある。

2.

Annual Conference
Kyoto-September 23, 2009
Mark your calendar for the next annual conference in Kyoto, Japan

The date and place for the next annual conference are set!
Come enjoy a gathering of people from all over the world at Arashiyama University in the old capital of Japan

For more information, visit
www.nihonhonyaku.org.

＊英語のカジュアルな招待状は，このようなスタイルをとることが多い。全体の構成が大幅に変わっている。

P195（III 指示，案内）

1.

For Our Visitors

Hours: 9:30 a.m.-4:30 p.m. (Closed on Thursdays and national holidays)
Admission: 800 yen for adults / 400 yen for high school and college students with IDs. Children under junior high school are free of charge.

☆The parking lot is small and filled soon. Please use parking areas outside.
☆You cannot wear shoes inside the temple. Please put on the slippers provided.

2.

Information for Library Users
Checking Out Materials

- You can check-out any number of books for two weeks.
- You can check-out up to five CDs or five DVDs for two weeks.
- Newspapers and magazines cannot be checked-out.

　Note: The library is closed on Mondays and holidays.

＊「館内でご覧ください」は訳されていないが，英語では，特に必要がない限り，いかにも明白なことは表記しないことが多い。

P200（IV マニュアル，商品説明）

1.

How to Make a Great Cup of Tea

1. Use one bag per cup.
2. Place the bag in a cup and add fresh boiling water.
3. Leave for three to five minutes and remove the bag, and serve.
4. You can enjoy it either hot or cold. To prepare as an iced tea, use two bags.

Note: Once open, store in an airtight container.

2.

Warranty Repairs（注1）

Our Warranty System provides you with free-of-charge repair service for any damage or defects on the material or zippers for one year from your purchase. See page 31 for details. Our state-of-art repair technology will promptly complete any repair with no additional cost to you.

（注1）タイトルの「〜について」は，AboutやRegardingを使って訳さない。

P205（V パワーポイント資料）

1.

What Makes Biotech Industries Successful?

- Develop a new technology that is easy to commercialize in a short-time period

- Protect the technology from competition with strong patents

2.

Important Keys to Achieving Goals

- Careful planning and follow-through

- Enhanced R&D activities for patent protection

＊スライドの1.と2.では構文が違うが，同じスライド内では各センテンスの構文を揃えよう。

P210（VI 論文アブストラクト）

1.

Movie subtitling had not been considered as authentic translation until recently when people began to define it as one form of audiovisual translation. Since the number of words that can appear on screen is restricted, subtitles must go through various adjustments in the translation process. One of the most difficult adjustments, however, is translating culture-specific or culture-bound words and expressions. Translators try to achieve an equivalent effect or to produce cultural equivalence to the maximum by utilizing a variety of strategies. This paper classifies the strategies used for translating subtitles into several different categories, and then discusses how these strategies contribute to achieving the equivalent effects required.

2.

The translation business in Japan has expanded to become a 300 billion yen market today and Information Technology (IT)-related translation (注1) has the lion's share (Japan Translation Federation, 2006). It makes up a hefty 30 % of all types of translation and is followed by scientific and industrial translation, whose share is slightly over 20 % (ibid.)（注2）. More than 50 % of translation business is covered by those two fields, while the only 5% is shared by book, magazine and audio-visual translation. The translation process in IT-related or technical translation is known as "localization,（注3）" in which computer-assisted translation tools play an important role in making the whole process operate efficiently. This separates "localization" from other type of translation such as books and magazines. The translation process aided by such tools has some unique features as well as some restrictions. This paper focuses on "localization" and describes its characteristics in the translation process. An attempt has also been made to look into the recent trends and problems associated with "localization" from the perspective of current translation studies, and to discuss the differences and suggest areas for further development.

（注1）一つの文章の中に省略形やアクロナム（頭字語）を持つ固有名詞が何回も出てくるときは，最初に省略することを断り，その後は省略形を使用する。
（注2）ibid. は，前の文献と出典が同じことを示す。
（注3）「ローカリゼーション」の定義をグーグルなどで確認してから訳そう。

P216（Ⅶ 論説）

It is often said that software development is difficult to manage compared with the development of hardware. The reasons are: software is rather *invisible* and so is the way it is developed; the qualities, therefore, are not so easy to evaluate and we cannot look at them objectively; no two pieces of software are identical; the success of software development lies in people's hard work, but it is not the same as with the development of hardware, where good quality products are guaranteed by long-time hard labor.（注1） Here is the question: can "management" contribute in some way to the industries that require such a "creative act"?

There are two types of management: *business management*, which deals with daily operations and *project management*, under which people try to accomplish specific goals within specific periods of time.

In a vertically-structured and well-organized corporate system（注2）, Japanese companies have enjoyed their own business management styles based on the traditional seniority rules and good team operations. High-quality middle-management and workers providing homogeneous and consistent performance have served well in generating mass-produced goods.

With increasing consumer demand for more differentiated products, Japanese companies have begun to make a shift to cross-functional operations（注3）. Setting up a number of project teams and gathering professionals widely throughout the company, they create more projects and services on horizontally-working teams. While seniority rules are still being observed, capable, young employees are sometimes selected to achieve such project goals.

The United States has recently introduced a new concept called Enterprise Project Management (EPM). Here, most focal corporate activities are conducted through project management. This system works effectively in American firms, where a person with some expertise, after being recruited, can make the most of his/her abilities as a professional,（注4）and in a society where many firms are generous in accepting outside consultants. It is hoped, in the years to come, that Japanese companies will bring up professionals in diverse fields, so that well-trained project managers will be able to manage professional personnel that are cross-functionally gathered from within a company.

（注1）セミコロンとコロンの使い分けに注意しながら、これらを上手に利用しよう。
（注2）「縦型の組織のしっかりした日本型組織」は、意味を考え、直訳しないことが鍵。
（注3）「組織横断的な」は、ここではcross-functionalが意味的に適当である。
（注4）「就社でなく就職する」というフレーズを読みほどき、意味を考えて訳すと訳しやすい。